DATE DUE FOR RETURN

NEW ACCESSION
CANCELLED

05 MAR 1996
-4 JUN

D0774749

Cantigas

Letras Hispánicas

CONSEJO EDITOR:
Francisco Rico
Domingo Ynduráin
Gustavo Domínguez

Alfonso X el Sabio

Cantigas

Edición de Jesús Montoya

CATEDRA

LETRAS HISPANICAS

© Ediciones Cátedra, S. A., 1988
Josefa Valcárcel, 27. 28027-Madrid
Depósito legal: M. 36.348-1988
ISBN: 84-376-0786-8
Printel in Spain
Impreso en Lavel
Los Llanos, nave 6. Humanes (Madrid)

Índice

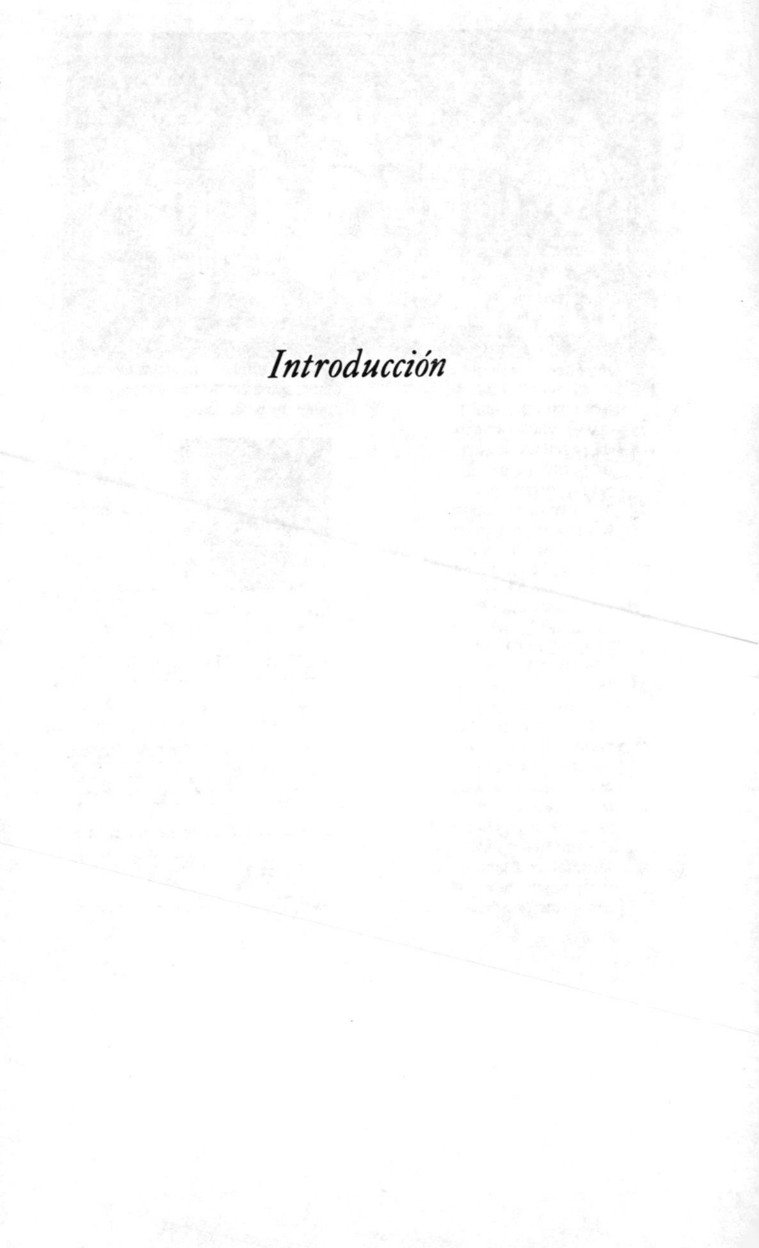

Introducción

Don Affonsso de Castela
de Toledo de Leon e
Rey e ben des Cõpostela
ta o Reyno Daragon
e Cordova. de Iahen
de Sevilla outrossy
e de Murça u gran bẽ
lle fez deus com aprendi
do Algarue que gãou
de Mouros e nossa fe
meteu y. e ar poblou
Badallouz q̃ Reyno e
muit antigue que tolleu
a Mouros Neule Xerez
Beger Medina prendeu
e Alcala doutra uez.
E que dos Romãos Rey
e per dereit e Sennor
este Liuro com achei
fez . a onr e a Loor
da uirgen santa Maria
que este madre de deus
en que ele muyto fya
Poren dos miragres seus
fezo cantares e sões
saborosos de cantar
todos de sennas razões
com y podedes achar.

Esta e a primeira cantiga de loor de
santa Maria ementando os .vii. goyos
que ouue de seu fillo.

Des oge mais q̃r eu
trobar pla señor
õrrada. enq̃ deus q̃s carne fillar. beeita
e sagrada. por nos dar gran soldada.
no seu Reyno e nos herdar. por seus
de sa masnada. de uida plõgada sen

Alfonso X, el Sabio

Alfonso, hijo de Fernando III de Castilla y León y de Beatriz de Suabia, nació en Toledo el 23 de noviembre de 1221. Durante su niñez estuvo bajo el cuidado de Garci Fernández de Villamayor y de su mujer doña Mayor Arias, cerca de Burgos. Allí, posiblemente, entraría en contacto con el gallego, lengua que adoptará más tarde en la redacción de su obra poética.

Todavía príncipe, recibe el encargo de posesionarse de Murcia, ciudad que se había sometido a Fernando III (1243), y tres años más tarde, a los veinticinco, contrae matrimonio con doña Violante, hija de Jaime I, el Conquistador.

En 1252, muerto su padre en Sevilla, le sucede en el reino, jurándole en Castilla por rey de Castilla y de León el 2 de junio de 1252, a los treinta y un años de edad.

Entre la primeras medidas de gobierno adoptadas por el nuevo rey figuró la primera de sus reformas monetarias, cuyos efectos se dejaron sentir en muchos de los acontecimientos posteriores. También sería de gran repercusión en su reinado la elección que se hizo en Frankfurt, en 1257, del emperador de Alemania. Los electores se dividieron entre Carlos de Cornualles y el propio Alfonso X de Castilla. La embajada partidaria del rey de Castilla llegó a Burgos y el 15 de octubre Alfonso X nombraba regente del Imperio a Enrique de Brabante. Todo parecía que habría de inclinarse definitivamente a su favor al morir asesinado su contrincante, pero los Papas, Alejandro IV y sus sucesores, Urbano IV, Clemente IV y Gregorio X, conseguirían que los electores se decidieran, en 1273, por Rodolfo de Habsburgo, haciendo ineficaz el viaje que Alfonso X hiciera en 1275 para reivindicar ante el Papa sus derechos en Beaucaire, cerca de Avignon (Francia). El llamado por los historiadores del rey sabio «fecho del Imperio», ocupó, como vemos, gran parte del reinado del rey de Castilla, resultando baldíos todos los esfuerzos del rey y de sus partidarios.

En 1282, su hijo don Sancho consumó su rebeldía, iniciada dos años antes, haciéndose proclamar rey por sus partidarios de Castilla, pero el entonces Papa, Martín IV, salió en defensa de la legitimidad de Alfonso, quien de nuevo gobernaría plenamente hasta su muerte, el 4 de abril de 1284, en Sevilla.

El reinado de Alfonso X no podemos decir que fuera feliz y tranquilo. No le faltaron sublevaciones de los suyos y de los ajenos. Su hermano Enrique comenzó muy pronto a presentarle problemas (1256); los ricos hombres se resistieron cuanto pudieron a las medidas económicas y de sucesión levantándose contra su legítimo rey (1276-78) y proclamando rey a don Sancho, su hijo (1280-82). Los mudéjares, desde Murcia hasta Sevilla, también se levantaron en armas, animados por el rey de Granada, el nazarí Ben Al-hamar, y apoyados por los benimerines (1264-1266). Abu Yusuf Yaqub, de los Banu Marin, probaría igualmente suerte en la Península, invadiendo Andalucía en varias ocasiones (1271-1272 y 1275-1279)[1].

Pero si en lo político y social el reinado de Alfonso X no presenta grandes logros —sólo consolida cuanto su padre había dejado ya adherido al reino de Castilla y

---

[1] Para la biografía de Alfonso X es imprescindible A. Ballesteros y Beretta, *Alfonso X el Sabio,* Barcelona, Salvat Editores, y Murcia, CSIC, 1963 (reeditado con un Índice de materias, por Llopis).

León —en lo cultural y en lo científico, Alfonso X obtiene para España y sus lenguas romances, el castellano y el gallego, momentos de esplendor inigualados. En primer lugar, introduce el «castellano drecho» en los usos de la Corte y en la redacción de sus obras científicas, jurídicas e historiográficas, así como vierte a esta misma lengua obras árabes y hebreas, y, en segundo lugar, adopta para su obra lírica el gallego-portugués consolidando una tradición lírica, que como mínimo, procedía del tiempo del reinado de su padre, si no de antes. La gran Escuela de Traductores de Toledo y las Cortes de Sevilla y Murcia fueron testigos de una convivencia y de una colaboración científica y cultural de excepción. Junto a clérigos castellanos y leoneses trabajaron expertos en lenguas orientales, árabes y judíos, quienes, alentados y promovidos por Alfonso X desde su etapa de príncipe heredero, aportaron a España y a Europa los materiales que se revelaron insustituibles en su proceso de recuperación de la cultura antigua y en su progreso hacia el definitivo Renacimiento[2].

La obra lírica de Alfonso X

A la magna obra científica e historiográfica promovida y alentada por Alfonso X hay que añadir su obra poética, de la que se conserva un Cancionero de poesía religiosa y varias poesías de carácter profano, diseminadas en los Cancioneros galaico-portugueses.

Con esta obra lírica de Alfonso X el Sabio se cometen una de dos reducciones: o bien se tiene en consideración su parte profana, sus cantigas de escarnio principalmente, o bien sólo su parte hagiográfica. En el primero de los casos es habitual rasgarse las vestiduras

[2] En cuanto a la magna obra literaria de Alfonso el Sabio puede verse G. Menéndez Pidal, *Historia de las Literaturas Hispánicas,* vol. 1, págs. 465 y ss.

ante tanta invectiva y aun tantas obscenidades, mientras que en el segundo se subraya su ingenuidad y piedad religiosa. En el caso de tener presentes ambos aspectos de su obra, no se deja de manifestar perplejidad ante esa «paradoja» —según Filgueira Valverde[3]— de ser «ese sacrílego cantor el que crease una poesía religiosa en lengua gallega que sublimase los temas trovadorescos del amor y coligiese el más copioso de los acervos de milagros mariales».

Lo cierto es que la actividad de Alfonso X es tan compleja en el terreno poético, como en los ámbitos histórico y científico. No sólo por el método empleado —acumulación de materiales, selección y trabajo en equipo— sino también porque no desdeña cualquier tema o asunto. De ahí que, al mismo tiempo que se le conocen algunas canciones de amor profano y diversas cantigas de escarnio, se le atribuya la empresa de componer un Cancionero Marial, variadísimo en sus formas musicales, rico en su métrica y receptor de cuantos legendarios encontró en la larga etapa de su actividad literaria.

Alfonso X, además, pertenece a esa generación de trovadores en la que no es difícil conciliar lo profano con lo piadoso. Así, por ejemplo, el tolosano Peire Vidal, el puyés Peire Cardenal o el narbonés Guiraut Riquier supieron conciliar perfectamente una lírica amorosa profana junto a sirventeses morales, religiosos y aun piadosos, sin otra preocupación que ejercitarse en el difícil oficio de trovar y contentar al promotor de turno. Todos ellos, como también el catalán Cerverí de Girona, son celebrados por su virtuosismo en la métrica y su especial cuidado en legarnos íntegra su producción lírica. Son, en definitiva, últimos testimonios de una trovadoresca provenzalizante, cuya temática amorosa

---

[3] Filgueira Valverde, José, *Alfonso X, el Sabio. Cantigas de Santa María,* versión de... Col. Odres Nuevos, Madrid, Castalia, 1985, pág. xxxvii.

estaba a punto de extinguirse en lo que habían sido sus esencias y daba paso a motivos morales y religiosos, menos conflictivos y más complacientes con las ideas impuestas por los que entonces mandaban.

Nunca sabremos a ciencia cierta, si, de haber dejado a su evolución natural la temática amorosa de los trovadores, habría sufrido igual o parecido colapso al que sufrió, pero lo que no podemos dejar de considerar es que la persecución religiosa organizada con motivo de la cruzada albigense debió influir grandemente en la aceleración del proceso; si bien se desconocen nombres de trovadores de esta lengua, escrita y conservada, muertos por motivos religiosos, sí sabemos que muchos de la última generación debieron huir y trasladarse a diversas y lejanas cortes por motivo de sus ideas. En todo caso, los críticos coinciden en señalar cómo la represión surgida en ese periodo (1209-1230)[4] no fue nada cómoda para quienes eran representantes de una lengua y de una cultura tan peculiar como la occitana. Por ese motivo los supervivientes de aquel turbulento periodo —y, con mayor razón, sus seguidores— debieron preferir secundar las iniciativas de los vencedores, consagrándose cada vez más a una temática menos comprometida como era la religiosa.

Todas estas circunstancias socio-religiosas aconsejarían sin duda a Alfonso X —político, entre otras cosas— a desistir de cantar al amor profano y dedicar su mayor empeño a formalizar un texto orgánico de composiciones líricas religiosas, conocido como *Cantigas de Santa María,* mientras que descuida el recoger de igual modo sus composiciones de carácter amoroso o satírico. Así, en primer lugar, trataremos del *Cancionero* organizado, de sus diversas colaboraciones y de su autoría, de su

---

[4] Lafont, Robert, «Langue et texte occitans. La fin de la societé courtoise et la poésie de combat», en *Histoire d'Occitanie,* bajo la dirección de André Armengaud y Robert Lafont, París, 1979.

carácter de colección de milagros y de su organicidad, de la estructura de la cantiga mariana y de su diversidad temática y lírica, para después a tratar de las otras poesías de él conservadas.

Cantigas en loor de Santa María

Habitualmente el conjunto de las 427 cantigas que forman el magno Cancionero Marial suele tratarse como corpus aparte[5] por su organicidad, su nítida simetría numérica y su proyecto editorial. Todo ello ha hecho que se le considere como libro o cancionero de autor, en el mismo plano que otros de la época —el libro de Guiraut Riquier y los dos libros de Milagros de Gautier de Coinci— y con la misma perspectiva de *Il Canzoniere* de Petrarca, «máximo parámetro y punto de llegada de los eventuales precedentes y supremo paradigma de los sucesivos»[6].

Todo ello, sin embargo, no debe ser óbice para considerarlo un hito de la lírica gallego-portuguesa, no sólo por ser ésta la lengua elegida para su redacción, sino por ser, además, un fruto logradísimo de la tradición lírica de la Península, en un sentido amplio, y de su zona noroccidental, en sentido estricto.

La actividad lírica de la Península —en cuanto a las lenguas romances se refiere— se remonta a los siglos x y xi, siendo ésta muy viva y patente en la zona noroccidental, donde las generaciones poéticas se suceden desde comienzos del siglo xii. Desde aquel lejano *joculator imperatoris,* Palla, del que Menéndez Pidal[7] aportó docu-

[5] Tavani, Giuseppe, *Repertorio metrico della Lirica gallego-portoghese,* Roma, Edic. Dell'Ateneo, 1967.

[6] Bertolucci, Valerica, «Libri e canzonieri d'autore nel Medioevo: prospettive di ricerca», *Studi Mediolatini e Volgari,* 1984, págs. 91-116.

[7] Menéndez Pidal, Ramón, *Poesía juglaresca y juglares,* Madrid, Espasa-Calpe, 1962, pág. 81.

mentación, la actividad cancioneril gallego-portuguesa se ve fomentada con la visita constante de trovadores de allende los Pirineos e incrementada con la producción de los autóctonos[8]. Entre estas manifestaciones poéticas no debieron faltar las de carácter religioso, aunque, eso sí, no nos hayan llegado nada más que algunas de trovadores provenzales y ninguna de los trovadores gallego-portugueses.

Por esta razón es el Cancionero Mariano de Alfonso X el primero y más abultado de los de esta categoría. De los poetas anteriores se conservan poesías amorosas y festivas, recopiladas en Cancioneros de cantigas de amor y de amigo y en Cancioneros de cantigas de escarnio y de maldecir, respectivamente.

Es más, en la única descripción de los géneros poéticos que se conserva, el *Arte de Trobar,* que precede al Cancionero de Colocci-Brancuti (hoy de la Biblioteca Nacional de Lisboa)[9], no se contiene alusión alguna a las cantigas de carácter religioso, a pesar de que en el propio cancionero se encuentra una de las dedicadas a Santa María (fol. 193, núm. 467). Cosa, por otra parte, nada extraña si consideramos lo fragmentario del texto que de la misma se nos ha transmitido.

---

[8] Sobre la presencia de trovadores provenzales en la Península, además de Ramón Menéndez Pidal (ob. cit.), escribieron Manuel Milá y Fontanals *(De los trovadores en España,* Barcelona, 1861), Istvan Frank, («Les trouvadours et le Portugal», en *Melanges d'études portugaises offerts à M. George Le Gentil,* Lisboa, 1949) y C. Alvar, *Poesía trovadoresca en España y Portugal,* Madrid, Cupsa, 1977. H. Anglés, por su parte, relaciona la Corte castellana con Minnesanger a través de Beatriz de Suabia, esposa de Fernando III, hija de Felipe, rey de Alemania y emperador electo, *La música de las Cantigas de Santa María del Rey Alfonso el Sabio,* Barcelona, Diputación Provincial de Barcelona, Biblioteca Central, t. III, Barcelona, 1958, págs. 108-110.

[9] *Cancioneiro da Biblioteca Nacional* (Collocci-Brancuti) Cod. 10991, Imprenta Nacional-Casa da Moeda, 1982, vol. I, facsímil, folios 3 y 4, págs. 15-18. *Arte de Trovar del Cancioneiro da Biblioteca Nacional de Lisboa,* edición de Elza Paxeco Machado y José Pedro Machado, Lisboa, 1950, vol. I, pág. 15; Jean Marie d'Heur, «L'Art de trouver du chansonnier Colocci-Brancuti, Edition et analyse», en *Arquivos do Centro Cultural Portugués,* París, 1973, págs. 17-100.

De ahí que la primera cuestión que nos debamos plantear sea la del género al que pertenecen las *Cantigas de Santa María.*

Todo parece indicar que la denominación *Cantigas de Santa María* se debe a una decisión de los bibliotecarios de Felipe II, decisión tomada por imperativos prácticos al encuadernar los códices del Escorial. Ellos decidieron que en el lomo de esta nueva encuadernación apareciese el título con que vienen conociéndose hasta hoy día, pero ni por su contenido, ni por su forma pueden decirse que todas sean cantigas, en el sentido restringido del término, ni todas traten de la Virgen.

De atenernos a lo que el propio Alfonso X dice de ellas —y aun de lo que se deduce de las designaciones más antiguas de las mismas— deberíamos llamarlas «Cantares de loor de Santa María», prescindiendo de los epígrafes que las preceden, los que señalan como «de loor» sólo las decenales.

La tensión laudatoria es común a todas ellas, ya sean descriptivas de un misterio mariano, ya súplicas enardecidas a María, ya narrativas de un milagro. De ahí que en el *Prólogo* (Pr. B) que Alfonso X compone para el *Cancionero* que depositaría en Toledo *(To)* diga expresamente:

> E o que quero é dizer loor
> da Virgen, Madre de nostro Sennor
> ..., ca per el quer'eu mostrar
> dos miragres qu'ela fez

prescindiendo de la división a que estamos acostumbrados: cantigas de milagros y cantigas de loor.

Porque, en realidad, las *Cantigas de Santa María,* como también la literatura de los milagros en general, participan del convencimiento de la mentalidad religiosa medieval en la que cualquier acción divina operada entre los hombres redundaba en alabanza de Dios (Sal. 92) y de sus intermediarios, los santos, y en el caso de las *Cantigas*, en alabanzas de María. La literatura de los milagros es, en cierto aspecto, continuadora de la tradición semita presente en la Biblia, según la cual «alabar» es tanto como «confesar» o «afirmar». El confesar cualquier acción salvífica en favor del pueblo o de un individuo era al mismo tiempo una alabanza a Dios. Aquí, narrar cualquier milagro operado por intercesión de María era una alabanza, un loor de la Virgen[10].

Ahora bien, la división entre cantigas narrativas y de loor nos ha venido a todos muy bien y, didácticamente, se debe seguir manteniendo, siempre que con esta división no se quiera indicar una división genérica, ni interpretar que las cantigas de loor son más intimistas y excluyen lo personal de las otras. Tenemos, por ejemplo, la cantiga núm. 279 que, a pesar de no ser decenal, es un grito desgarrado y personalísimo, mientras que hay decenales cuyo epígrafe es tan extenso y de carácter tan narrativo como cualquiera de las reconocidas como tales.

En nuestra *Antología* hemos optado por denominar —como ya lo insinuara Gonzalo Menéndez Pidal[11]— decenales a las numeradas con los números diez o múltiplos de diez, significando así el plan editorial que estuvo presente desde la primera redacción de las *Cantigas de Santa María*, mientras que al resto, por el número que las encabeza.

Lo que realmente las distingue —sean decenales o no— es la métrica y, de modo especial, su música, por cuyo motivo las calificaremos de virelai, rondel, balada o canción según qué melodía y métrica se identifiquen.

---

[10] Montoya, Jesús, *Las Colecciones de Milagros de la Virgen en la Edad Media* (El milagro literario), Granada, Universidad de Granada, Secretariado de Publicaciones, Granada, 1981.

[11] Menéndez Pidal, Gonzalo, «Los manuscritos de las Cantigas. Cómo se elaboró la miniatura alfonsí», en *Boletín de la Real Academia de la Historia*, CL (1962), págs. 25-51.

Así lo hacen también recientes estudios de musicólogos, prescindiendo de asonancias o consonancias internas[12].

El rey y sus colaboradores

Hace unos años Gonzalo Menéndez Pidal[13] resumía las diversas posturas adoptadas hasta entonces sobre la autoría de Alfonso X respecto a las obras a él atribuidas (¿autor, coautor, promotor?). Todas ellas podrían aplicarse al *Cancionero Marial* elaborado durante su reinado. En él, sin embargo, se ha destacado siempre la mayor participación personal del rey, subrayándose lo que, según entienden los diversos críticos, son signos evidentes de esta participación personal: signos que van desde los fijados por criterios externos e iconográficos (miniaturas que representan al rey en actitud de narrador) a los deducidos por criterios internos (manifiestas declaraciones personales de su actuación o estilo directo y personal). Entre los que más se han destacado en señalar estas evidencias se encuentra Joseph T. Snow[14]. Todos ellos, sin embargo, no han sido suficientes para inclinar la balanza en favor de la plena y única autoría de Alfonso X.

---

[12] Huseby, Gerardo V., «Musical Analysis and Poetic: Structure in the *Cantigas de Santa Maria»*, *Florilegium Hispanicum*, Madison, Medieval and Golden Age Studies presented to Dorothy Clotelle, Editor John S. Geary, 1983, págs. 29-43. En cuanto a las estructuras estróficas deducidas de las rimas, véase el esquema de variadas estrofas que propone Mettmann, Alfonso X el Sabio, *Cantigas de Santa María*, Clásicos Castalia, I, 1986, págs. 40-42.

[13] Menéndez Pidal, Gonzalo, «Cómo trabajaron las escuelas alfonsíes», *Nueva Revista de Filología Hispánica*, V (1951), págs. 363-380.

[14] Snow, Joseph T., «A chapter in Alfonso X's personal narrative: The Puerto de Santa Maria Poems in the *Cantigas de Santa María»*, *La Coronica*, 8 (1979), 10-21. «The central rôle of the troubador "persona" of Alfonso X in the *Cantigas de Santa Maria»*, *Bulletin of Hispanic Studies*, 56 (1979), págs. 305-316. «Self-conscius reference and the organic narrative pattern of the *Cantigas de Santa Maria of Alfonso X»*, *Medieval, Renaissance and Folklore Studies in Honor of John Esten Keller*, Newark, 1980, págs. 53-66.

En primer lugar, porque cualquiera de estas manifestaciones pueden ser sólo uno de tantos procedimientos retóricos a los que tan acostumbrados estaban los colaboradores regios, y en segundo lugar, porque nos consta, como veremos más abajo, que en las *Cantigas de Santa María* también se actuó en equipo. La actuación del rey —según la mayoría— se reduciría a algo coyuntural o esporádico, todo lo más a una revisión estilística, mientras que la autoría física habría que atribuirla a los diversos colaboradores regios de los que se tiene noticia.

La nómina de estos colaboradores es conocida y amplia. Son nombres de individualidades ilustres que han brillado, en ocasiones, con luz propia y que, al ser frecuentadores de palacio, departirían con el rey y, las más de las veces, retraerían muchos de los sucesos considerados como milagros. Y no sólo eso, en muchos casos serían estrechos colaboradores de él. Aquí habría que incluir los que aportaron libros, los que tradujeron latines, los que compusieron melodías y los que ajustaron versos. Las propias miniaturas nos hablan de esta colaboración. La *Lámina 2* del manuscrito *TJ1* es elocuente a este respecto. En el centro de ella aparece el rey dictando, mientras que a sus pies se encuentran dos clérigos, uno a la derecha que presta atención y otro a la izquierda que escribe. En los extremos, un grupo de cuatro clérigos parece que preparan el trabajo, leyendo un manuscrito uno, mientras otros discuten o precisan la versión adecuada; en el otro extremo, un grupo de tres músicos se dispone a adecuar la melodía a la letra, templando su vihuela, uno, y otro, prontos a empezar, fijan su vista en el pergamino pautado que un clérigo tiene entre sus manos.

Esta imagen plástica, a la que se podrían añadir cuantas láminas presentan cantores y músicos y también aquellas en las que el rey aparece entre sus cortesanos, se corresponde con numerosas manifestaciones del propio texto, en el que abundan fórmulas como «que eu oi», «que eu vi», «que contaron a mi», «oi dizer», «oi contar a uns romeus», «mi contou un crerigo» que remiten a fuentes testimoniales, visuales y orales, como también aquellas que dicen: «achei en un libr'antigo», «un libro é chêo», «achar ouve en un livr'e tirar-o fui ben d'ontre trezentos» y que denotan fuentes escritas.

Nos consta, además, que el rey mandó traer libros de monasterios de Albelda y de Nájera en el año 1270, así como Bernardo de Brihuega confiesa que «avendo mandamento del Rey dom Alfonso de lle trasladar livros ("traducir libros") dos martires e dos autros santos, faço ende muitos livros». Así también, Alfonso, debió conocer a fray Rodrigo Manuel de Cerrato, el Cerratense, hagiógrafo como Bernardo de Brihuega, y a fray Juan Gil de Zamora, preceptor que fue de Sancho, su hijo, y autor de un *Liber Mariae* y un *De miraculis Beatae Virginis Mariae,* quien, en el elogio dirigido a Alfonso, lo compara a David, al citar sus melodías. Estos clérigos, y muchos más, serían los que le relatarían algunos de los milagros sucedidos en nuestra Península, porque los de carácter europeo ya estaban compilados en latín y en francés por autores como Vicente de Beauvais, Cesáreo de Heisterbach, Gautier de Coinci, cuyas colecciones estaban en las principales bibliotecas de aquel tiempo[15].

Pero la mayor colaboración, sin embargo, debió pro-

---

[15] En cuanto a las fuentes de las *Cantigas de Santa María,* A. Mussafia envió a Leopoldo de Cueto, Marqués de Valmar, una amplia relación de las Colecciones de Milagros que corrían por Europa entre los siglos XII y XIII. Las hay en latín, provenzal, catalán, italiano, francés, alemán, holandés, inglés, islandés y no faltan las castellanas. Todas ellas están citadas en «Extractos», en *Cantigas de Santa María de Don Alfonso el Sabio,* Madrid, edición de la Real Academia, 1889, vol. I, págs. III-XI. A todas estas fuentes, de carácter europeo, habría que añadir las peninsulares, sucesos milagrosos archivados en los Santuarios de Salas (Huesca) Tudía (Badajoz), Villasirga (Palencia), Castrogeriz (Burgos), Monserrat (Barcelona), en España, y los de Terena, Évora, Faro, Monsaraz y Santarem en Portugal. Algunos sucesos son recogidos de viva voz, como los atribuidos a Santa María del Puerto, devoción mariana promovida por el propio Alfonso X y de la que se constituye en cronista. No faltan recuerdos familiares tenidos como milagros, que el propio rey recoge y exalta

ceder de poetas cortesanos, muchos de ellos clérigos también, de cuya presencia en la corte alfonsina tenemos constancia. Uno de ellos, el clérigo santiagués, Airas Nunes, tiene reflejado su nombre entre las dos columnas de la cantiga núm. 223. Este indicio ha suscitado numerosas hipótesis, pero lo más seguro es que sea manifestativo de su colaboración, según ha podido mostrar W. Mettmann[16]. Otro poeta gallego que debió frecuentar la corte alfonsina fue Men Rodríguez Tenorio, almojarife en Sevilla. También nos consta que participó en la campaña andaluza Gil Pérez Conde, así como Pedro Gómez Barroso es uno de los beneficiarios en el *Repartimiento* de Sevilla. Roi Fernández, capellán del rey, Roi Martínez, Vasco Gil y Vasco Pérez Pardal son otros tantos que, por un motivo o por otro, están relacionados con la corte de Alfonso X.

Entre los portugueses fueron célebres, por su significación, Gonzalo Eanes do Vinhal, Joan Soares Coelho, Joan Peres d'Avoim, Alfonso Meendez de Besteiros, Airas Peres Vuituron y Fernan Velho. El portugués Lourenço, músico, juglar de cítola, también llegó a la corte alfonsina, como también nos consta la presencia de juglares y cantores como Ponz, Pedro Bodiño, Martín y Juan de Cerecinos, así como del tiplón, Fernan Dias de Escalho.

A todos estos habría que añadir los muchos trovadores provenzales. István Frank[17] cuenta hasta una docena de trovadores conocidos, entre los que hay que destacar Bonifazio Calvo, de Génova, que residió en la corte de

---

en cantigas de carácter autobiográfico. A estas hay que añadir las diversas visiones que él tiene en sueños, como las varias curaciones prodigiosas que él recuerda en cantigas muy personales.

[16] Mettmann, W., «Arias Nunes, Mitautor der *Cantigas de Santa Maria*», *Iberorromania,* 3 (1971), 8-10. Para Mettmann «la aportación efectiva de Alfonso se redujo a la composición de ocho o diez cantigas, que se destacan netamente de las demás por los temas y el estilo».

[17] Frank, I., «Les troubadours...», ob. cit., pág. 202.

Toledo hacia el año 1250, Bertrán de Alamanon, provenzal, vasallo de Ramón Berenguer IV y de Carlos de Anjou, el poeta del culto marial, Folquet de Lunel, y Guilhen de Montanhagol. Pero los más señalados son At de Mons, un tolosano que debió ser apreciado tanto por sus conocimientos astrológicos como por su conocimiento de las rimas, y de modo especial, Guiraut Riquier[18], quien de vuelta a Narbona, en 1275, dirigió una *Súplica* a Alfonso X para que delimitase cuáles eran las funciones del trovador y del juglar, respondiendo en el mismo metro y en la misma lengua con una *Declaración,* en la que se precisan lo uno y lo otro, atribuida a Alfonso X, pero que más parece que se deba al propio Riquier que usaba doctrina conocida en la propia corte castellana.

Otro poeta que también residió en la corte alfonsina, a la que vino acompañando al infante don Pedro de Aragón, en 1269, quien se había de entrevistar con su cuñado Alfonso en Toledo, es Cerverí de Girona. En esta ocasión el trovador catalán compuso una «Canço de Madona Santa Maria», en la que se dirige al rey castellano, diciendo:

> Reys castelas, tota res mor e fina,
> mas non o fay la domn'on vos chantatz.

[Rey castellano, todo ser muere y acaba, pero ello no le ocurre a la dama que vos cantáis][19].

Estos, en definitiva, y otros muchos más serían los que Alfonso X tendría in mente en aquella interrogación retórica con la que comienza su cantiga de loor de Santa María núm. 260, en la que dice:

---

[18] Bertolucci Pizorusso, Valeria, «La Supplica di Guiraut Riquier e la risposta di Alfonso X di Castiglia», *Studi Mediolatini e Volgari,* XIV (1966), páginas 10-135.

[19] Riquer, Martín de, *Los trovadores. Historia literaria y textos,* Barcelona, 1975, III, 1556-1564.

Dized, ay, trobadores
A Sennor das Sennores,
Porque no a loades?[20].

El Palacio (o Corte) alfonsí

Alfonso X había vivido la vida cortesana de los tiempos de su padre, quien, como dice él en el *Setenario*[21], ufanábase de «omnes de corte que ssabían bien de trobar e cantar, e de joglares que sopiessen bien tocar estrumentos; ca desto se pagava él mucho e entendía quien lo fazzia bien e quien no». Pero, además, también previó ordenar un espacio en el que pudiesen producirse estos encuentros y se promocionasen estos hombres de Corte. Este espacio debería ser el palacio.

Aunque, a primera vista, pueda parecer que Corte y Palacio se identifican (la Corte, en efecto, estuvo formada en la época visigoda por los que vivían en el palacio, identificándose entonces al Palatium Regis con la Corte), no es así en la época de la Reconquista. Los espacios jurídico y de convivencia se diversifican y sus conceptos se precisan haciendo necesario un ordenamiento jurídico que los regule. Alfonso X así lo hace en la *Partida Segunda*[22], donde en la ley 27, título IX trata de la Corte como «lugar do es el Rey, e sus vasallos, e sus oficiales con él, que le han de cotidianamente de aconsejar, e de servir, e de los omes del reyno, que se llegan ý, o por honra dél, o por alcanzar derecho, o por fazerlo, o por recabdar las otras cosas que han de ver con él», mientras

---

[20] *Alfonso X o Sabio. Cantigas de Santa Maria,* edición crítica de Walter Mettmann, Vigo, Edicions Xerais de Galicia, 1981.

[21] *Alfonso el Sabio. Setenario,* edición e introducción de Kenneth H. Vanderford, estudio preliminar de Rafael Lapesa, Barcelona, Crítica, 1984 (reproducción íntegra de la aparecida en Buenos Aires en 1945).

[22] Cito según la edición: *Las siete Partidas del sabio Rey Don Alfonso IX...,* con la glosa del lic. Gregorio López, Barcelona, 1843.

que en la ley 29 del mismo título dice «Palacio es dicho cualquier lugar, do, el Rey, se ayunta paladinamente para fablar con los omes».

No precisa el segundo espacio ningún imperativo de Estado ni de Justicia, tal como lo necesita el primero para constituirse en Corte. Basta para que ejerza sus funciones que el rey quiera departir en público con sus cortesanos, finalidad, en principio, menos comprometida que la primera y para la cual sirve cualquier lugar.

Este «fablar con los omes» la ley lo entiende de tres maneras: «o para librar pleitos, o para comer o fablar en gasajado». La primera es la denominada audiencia regia, donde el rey escuchaba, junto a sus oidores, los pleitos originados entre sus vasallos; la segunda es la comida regia, obligada cuando se reunía la Corte. De los dos acontecimientos tenemos ejemplos en las Cantigas, pero el que aquí nos interesa es la de «fablar en gasajado».

«Gasajado» que, en este tiempo y, de modo especial en la literatura satírica, posee un cierto significado ambiguo, aquí, en la ley, como también en otros muchos casos, adquiere el significado de "gozo, gusto, alegría" y, sobre todo, "placer en compañía". Se trata, pues, de la conversación amena, agradable, de toda aquella que produzca "placer y regocijo" entre los que hablan y, de modo especial, entre los oyentes. Es decir, la que produciría el conocido "conorte" (palabra de origen occitánico que significa "consuelo, placer, satisfacción"), aquél del que habla el título IV, ley 21, de esta misma *Partida Segunda,* recomendado a los reyes cuando hubieren «cuidado o pesares». Entonces se les recomienda «oír cantares e sones de estrumentos, e jugar axedrez o tablas e otros juegos semejantes destos. E esso mismo dezimos de las *estorias,* e de los *romanzes,* e de los *otros libros* que fablan de aquellas cosas, de que los omes reciben alegría e placer».

Hay que subrayar, por tanto, el carácter lúdico y distendido que adquiría el palacio al cumplir con esta finalidad. No se trataba tanto de ejercer sobre los hombres allegados un adoctrinamiento, una marcada y tendenciosa influencia, cuanto favorecer *el pasatiempo* entre los hombres de corte, procurarles *el placer de escuchar o de participar en juegos, cantos, músicas o danzas.*

En este ambiente hay que entender la lírica conservada de Alfonso X. Las propias miniaturas —en especial las de las cantigas decenales— representan al rey rodeado de músicos y de cortesanos que escuchan placenteramente la declamación o el canto de la correspondiente composición.

También en este ambiente hay que concebir la participación de todos estos hombres de corte a que antes aludíamos. Hombres venidos de todos los lugares de la Península y de allende nuestras fronteras. Ambiente que el propio príncipe don Juan Manuel[23] describe con admiración, cuando dice:

> E por ende el muy noble rey Don Alfonso... avía en su corte muchos maestros de las ciencias de los saberes (es decir «artes liberales») a los cuales el fazía mucho bien... E lo ál, porque avía muy gran espacio para estudiar en las materias de que quería componer algunos libros.
>
> Ca morava en algunos logares un anno e dos e mas, e aun segunt dizen los que vivían a la su merced, que fablavan con él los que querían e quando él quería, e ansí avía espacio de estudiar en lo quél quería fazer para sí mismo, e aun para veer e esterminar las cosas de los saberes quél mandava ordenar a los maestros e a los sabios que traya para esto en su corte.

En esta descripción de la Corte de Alfonso X tomada de la *Crónica Abreviada* vemos confirmada esa colabora-

[23] *Obras completas de Don Juan Manuel,* edición, prólogo y notas de José Manuel Blecua, BRH, Madrid, Gredos, 1983, vol. II, págs. 78-100.

ción de la que hablábamos, así como la razón en la que se basará la tradición en reconocer como de Alfonso X cuantas obras, literarias o científicas, emprendió. Se trataba de «componer libros», allegando los materiales necesarios y aun los hombres a sus expensas, ordenarlos y componerlos, hablando con él cuantas veces querían, y concluirlos, bien para beneficio propio, bien para beneficio ajeno.

Las *Cantigas de Santa María* no están exentas de estas contribuciones de diversos maestros en los saberes. Las mismas afirmaciones inequívocas de la actividad personal del rey en alguna de ellas muestran la cara opuesta de la moneda. Al excluir en algunas la colaboración de otros individuos, se confirma que en las demás sí que hubo tal colaboración.

Así, por ejemplo, cuando en la cantiga núm. 247 se dice:

> 5. Desto direi un miragre / que en Tudia avẽo
> e porrei-o con os outros, / ond'un gran livro é chẽo
> de que fiz cantiga nova / con son meu, ca non allẽo
> que fez a que nos / amostra /por ir a Deus muitas
> [vias

se nos testimonia que, como mínimo, otras sí fueron hechas con «son allẽo» (con melodía ajena).

La elaboración de las cantigas, según todas las noticias, debió ser lenta y tenaz, fruto del trabajo de un grupo de hombres semejante a lo que hoy entendemos como equipo. Trabajo en «equipo» muy similar al señalado por Diego Catalán[24] para la labor historiográfica. Técnica de trabajo que viene descrito en alguna cantiga, como, por ejemplo, en la cantiga núm. 284, donde se afirma:

---

[24] Catalán, Diego, «El taller historiográfico alfonsí. Métodos y problemas en el trabajo compilatorio», *Romania*, LXXXIV (1963), págs. 359 y ss.

5. E daquest'un miragre / muy fermoso direi
que fez santa Maria, / per com'escrit'achei
en un livr', e d'ontr'outros / trasladar o mandey
e un cantar en fige / segund 'esta razon.

Aquí se evidencia el proceso de elaboración de una cantiga: la selección del milagro («e d'ontr' outros»), su traducción («trasladar-o mandey») y su posterior redacción en verso apto para ser musicado («e un cantar en fige»). Este testimonio no es único, ni aislado. Sus afirmaciones pueden rastrearse bien en conjunto o individualizadas en cantigas como las *E* 64, *E* 188, *E* 206. Todas ellas nos confirman que la elaboración de las Cantigas se sometió a las normas que regían el *scriptorium* de Alfonso X.

Autoría de las «Cantigas de Santa María»

Ahora bien, ¿la autoría hay que atribuirla a ese colectivo o debemos seguir asignándosela a Alfonso X?

Antonio García Solalinde[25] primero, y F. López Estrada[26] y José Filgueira[27] después, han tratado sobre el asunto y han reconocido una participación muy directa de Alfonso X en esta labor de equipo que las propias cantigas confirman. Nosotros vamos más allá. Creemos que el texto aducido tantas veces de la *General Estoria* plantea un concepto de autoría semejante a la autoría divina de la Biblia, y así como en ella el único «autor» es Dios, aunque quienes escriben son los profetas, en el

[25] García Solalinde, Antonio, «Intervención de Alfonso X en la redacción de sus obras», *Revista de Filología Española* (1951), págs. 284-286.

[26] López Estrada, Francisco, «La prosa medieval», en *Historia de la Literatura española e hispanoamericana*, dirigida por E. Palacios, Madrid, Orgaz, 1979, pág. 164.

[27] Filgueira Valverde, José, «El texto. Introducción histórico-crítica...», *El Códice Rico de las Cantigas de Santa María de El Escorial*, edición facsímil, Madrid, Edilán, 1979, pág. 39.

caso de las obras que mandó hacer Alfonso X, el autor es él, aunque quienes escribían eran sus colaboradores, según el mismo texto dice:

> assi como diximos nos muchas veces: el rey faze un libro, non por que él escriua con sus manos, mas por que compone las razones dél e las enmienda et yegua e enderesça e muestra la manera de como se deuen fazer e dessi escrive las qui él manda[28].

Palabras que hay que entenderlas dentro del contexto de ejemplo con el que el rey quiere aclarar, precisamente, el contrasentido aparente de atribuir a Dios una autoría de unos libros que a todas luces han tenido como ejecutante a Moisés[29].

Así, pues, desde un punto de vista meramente teológico Alfonso X se consideraba autor único de las obras que él mandó hacer, y aun desde el punto de vista jurídico medieval también se pudo llamar autor de las mencionadas obras, porque, como hemos podido leer en la

---

[28] La autoría de Alfonso X y su implicación teológica fue también estudiada por mí, analizando el concepto de «autoría» en la Biblia, tal como lo ha concebido la Iglesia, y comparándolo con el concepto que se deriva del ejemplo puesto por Alfonso X. Él opina que así como en la Biblia existe un sólo autor, aunque son varios los que escriben, así en sus empresas literarias él se puede decir autor aunque sean otros los que las redactan. Véase Montoya, Jesús, «El concepto de "autor" en Alfonso X», *Estudios sobre Literatura y Arte*, dedicados al profesor Emilio Orozco Díaz, Universidad de Granada, 1979, vol. II, págs. 455-462.

[29] Alfonso X se sirve de Pedro Comestor, quien dice expresamente: «Et ait Dominus ad Moysen: Praecide tibi duas tabulas instar priorum, et scriban super eas verba quae habuerunt tabulae quae fregisti (Exod. XXXIV). In Deuteronomio etiam dicitur Deus scripsisse (Deut. IX). In sequentibus vero dictur: "Scribe tibi haec" etc. Et paulo post: "Fuit Moyses cum Domino quadraginta diebus, etc." et scripsit in tabulis verba faederis decem. Potest dici quod auctoritas scribendi fuit in Dominio, ministerium in Moyse» *(Historia scholastica,* liber Exodi, cap. LXXVII, *Patrologia Latina,* 198, 1192). La conclusión a que llega el rey sabio es la misma que aquí manifiesta Pedro Comestor: «La autoridad de escribir radica en el Señor, el ministerio en Moisés.» Él ocupa el lugar de Dios que manda escribir, los colaboradores son sus ministeriales que ejecutan la acción de escribir.

Crónica Abreviada, a cuantos él mandó hacer un libro vivieron de su merced y los trajo a la Corte para ello. Ninguno, por tanto, se pudo sentir defraudado, ni nadie se pudo sentir usurpado en su derecho de autor.

Fecha de elaboración de las «Cantigas de Santa María»

Las fechas de elaboración del Cancionero Marial, admitidas algunas desde Ortiz de Zúñiga y repetidas desde Burriel, se sitúan entre 1257 y 1283[30].

Hay noticias en las *Cantigas de Santa María* que tienen una fecha muy concreta. Así, el Cancionero se abre con una serie de títulos y unos datos históricos de los que hoy día tenemos constancia: por ejemplo, se menciona Niebla, la actual Huelva, que fue conquistada en 1262, lo mismo que Jerez, Vejer, Medina y Alcalá que fueron recuperadas en 1264. Todo ello nos hace pensar que el manuscrito de Toledo, donde ya constan, debió estar concluido por estas fechas. Alfonso X, por tanto, ordenó recopilar el primer centenar de cantigas después de recuperar Jerez, recogiendo en este primer volumen de cien cantigas cuantas habría compuesto, aun antes de ser rey. En ellas se encuentran las más representativas de los milagros de la Virgen que andaban en circulación por Europa[31].

---

[30] Una buena síntesis de estas fechas puede verse en *Cantigas de Santa María,* versión de José Filgueira Valverde, Col. Odres Nuevos, Madrid, Castalia, 1985, págs. XLVII.

[31] Aunque muchas de las Colecciones de milagros estuviesen ya en lengua romance (véase Adgar, Gautier de Coinci, Gonzalo de Berceo...), no hay que olvidar el deseo de Alfonso X de acudir a fuentes originales, como lo muestra Bernardo de Brihuega, y por tanto es justo pensar que acudiese a las redacciones latinas, de las que hay buenas muestras en la Península. Véase, si no, el *Manuscrito 110* de la Biblioteca Nacional, como el *Manuscrito Alcobacense* 169 de la Biblioteca Nacional de Lisboa, dos buenos ejemplos de Colecciones lati-

Durante sus viajes por Castilla, Murcia y León (años 1264 a 1274) recogería, según demuestra la geografía, el segundo centenar. Así, por ejemplo, en este segundo centenar se encuentran las de Nuestra Señora de la Arrixaca (Murcia) las de Elche y Alicante, las de Cañete (Cuenca), las de Plasencia, Consuegra (Toledo) junto a Segovia y Toledo; también la colección de Nuestra Señora de Monserrat, suficientemente conocidas como para estar en el *scriptorium* alfonsí junto a las colecciones de Nuestra Señora de Soissons y los de Nuestra Señora de Rocamadour, colecciones francesas recogidas ya por Gautier de Coinci. La recopilación de este segundo centenar formaría, con las del anterior, el proyecto editorial de dos volúmenes miniados, del que éste sería el primero, el conocido como códice *Tj1*, del Escorial[32].

El tercero y cuarto centenar lo componen los milagros pertenecientes al norte de la Península, Portugal y Francia, recogidos posiblemente en su «ida al Imperio»

---

nas. Véase Montoya, Jesús, *Las Colecciones de Milagros de la Virgen en la Edad Media* (El Milagro literario), Colección Filológica XXIX, Granada, Universidad de Granada, 1981. También A. A. Nascimiento, «Um Mariale alcobacense», Didaskalia, IX (1979), págs. 339-411. El códice *To* (o códice de Toledo) se conserva en la Biblioteca Nacional, manuscrito 10.029, después que fue trasladado de la Biblioteca Capitular de Toledo en 1869. Su redacción definitiva comprende: Introducción (A), Índice (1-100), Prólogo, cien cantigas, La Pitiçon, cinco cantigas de las Fiestas de la Virgen durante el año, cinco de Fiestas de Jesu-Cristo, más 16 cantigas, entre las que se encuentra una Maya *(cant.* núm. 406, del codice *E).* Mettmann opina que estas adiciones de cantigas sobre Fiestas y las 16 últimas cantigas que no constaban en el primitivo códice *To.* Véase *Cantigas de Santa María* (Cantigas 1 a 100), I, Madrid, Clásicos Castalia, 1986, págs. 23-27. En él puede leerse la descripción detallada de los distintos códices.

[32] El códice *TJ1,* conocido como *T,* se encuentra en El Escorial desde que Felipe II ordenara que lo trasladasen desde Sevilla, donde se encontraba (Burriel), en él hay 1.262 miniaturas distribuidas en 210 láminas, ilustrando las 193 cantigas allí contenidas. El gran valor de este códice reside, precisamente, en esta riqueza de información, cuya historicidad ha sido resaltada al describirlo como el Códice de las Historias, según el sentido medieval de «estoria», miniatura con título. Véase Guerrero Lovillo, José, *Las Cantigas,* estudio arqueológico de sus miniaturas, Madrid, 1949.

y que junto a los sucesos milagrosos ocurridos en su familia y en su vida misma formaron parte del códice de Florencia (códice *F)*[33], códice que en su intención primera debía concluir el proyecto ambicioso de dos volúmenes miniados, pero que el fracaso de sus negociaciones con el Papa, en Beaucaire, y los acontecimientos desfavorables de Castilla (la muerte del príncipe heredero y el levantamiento de los ricos hombres) debieron truncar, dejándolo sólo como rótulos sueltos y descabalados. Todos estos milagros se incorporarían al definitivo proyecto, menos ambicioso en lo artístico (sólo unas miniaturas de músicos en las cantigas decenales), pero completo en cuanto a la música, conocido como códice *E,* primero de los códices del Escorial[34]. En éste se incorporarían las cantigas que constituyen el cuarto centenar en el que se recogen, de modo masivo, los milagros operados en favor de las empresas bélicas de Alfonso (ciclo de la guerra contra los moros de allende el mar y contra los moros de España), ocurridas en la primera

[33] El códice *F* (o códice de la Biblioteca Nazionale de Florencia, antes Biblioteca Palatina o Mabegliana) es el códice que ha llegado hasta nosotros descabalado e interrumpido. La actual ubicación y sus poseedores Antonio Silicio, primero, y Juan Lucas Cortés, después, han planteado numerosos interrogantes. Todo parece indicar que «el códice de El Escorial *(TJ1)* y el de Florencia son el primero y el segundo tomos de una magna edición regia de las Cantigas que no llegó a acabarse. El códice florentino fue concebido en su composición como segundo volumen de la obra». Véase Menéndez Pidal, Gonzalo, «Los Manuscritos de las Cantigas. Cómo se elaboraron», *Boletín de la Real Academia de la Historia* (1962), pág. 35. También Montoya, Jesús, «El códice de Florencia, una nueva hipótesis de trabajo», *Romance Quaterly,* Alfonsine Essays, 33 (1986), págs. 323-329.

[34] El códice *E* (o códice de los músicos, cuya signatura es *Bj2)* se encuentra en El Escorial y comienza con el Prólogo de las cantigas de las cinco fiestas de Santa María (cant. 410), seguido de doce cantigas; continúa con la Introducción (A), el Prólogo, cuatrocientas cantigas, la Petiçon más otra cantiga súplica (402). Musicalmente es el más completo. Sólo cuatro de sus cantigas carecen de notación. Cada diez cantigas se halla una miniatura tocando vihuelas de arco, tubas, tímpanos y otros varios instrumentos. Véase Torres, Jacinto, «Los instrumentos de música en las miniaturas de las *Cantigas de Santa María», Bellas Artes,* 6, núm. 48 (1975), págs. 25-29.

parte de su reinado y los milagros del que podemos llamar Cancionero de Santa María del Puerto, devoción promovida por el propio rey y de la que se constituyó en cronista. Estas últimas cantigas recogen recuerdos vivos y gratos que él, posiblemente, magnificó, así como vincula a su devoción preferida a los pocos deudos, amigos y servidores que le habían sido leales: el príncipe Manuel, Bonamic Favila, el pintor Lourenço, Ramón de Rocaful, etc.[35].

El final de la redacción de las cantigas hay que retrasarlo a 1282 fecha en la que se redacta posiblemente la cantiga núm. 393, donde se recuerda un suceso milagroso ocurrido en la persona de un niño afectado de rabia, de nombre Alfonso, en la que se precisa: «e chegaron ao Porto / mercores, prime[i]ro dia d'abril, e ena ygreja / entraron con gran conorte» (vv. 17-18), fecha que según el calendario juliano hay que asignarla a 1282.

Esta sucesión, reflejada en la geografía de los hechos narrados en las cantigas, se puede ver confirmada por el análisis interno del texto y de sus variantes que, definitivamente, ha hecho W. Mettmann, a cuyas conclusiones me remito. Él concibe la elaboración de las cantigas al modo de las semejantes de su tiempo, método puesto al descubierto por los rótulos conservados del trovador Martín Codax. Las composiciones debieron, según él, escribirse en rótulos individuales que luego recogerían sucesivas redacciones (r^1, r^2 y r^3) que constituirían los códices *To* (o de Toledo), *T* (también conocido como *Tj1*, segundo del Escorial), *F* (códice de la Biblioteca Nazionale de Florencia) incompleto y descabalado y *E* (o también *Bj2*, o de los músicos, primero del Escorial), proyecto definitivo en el que se recogen las cuatrocientas veinte cantigas con su música.

[35] Montoya, Jesús, «Datos para la historia del Puerto de Santa María», *Cuadernos de Estudios Medievales* (1978-79), págs. 141-153.

El árbol genealógico de los mencionados códices, sería como sigue[36]:

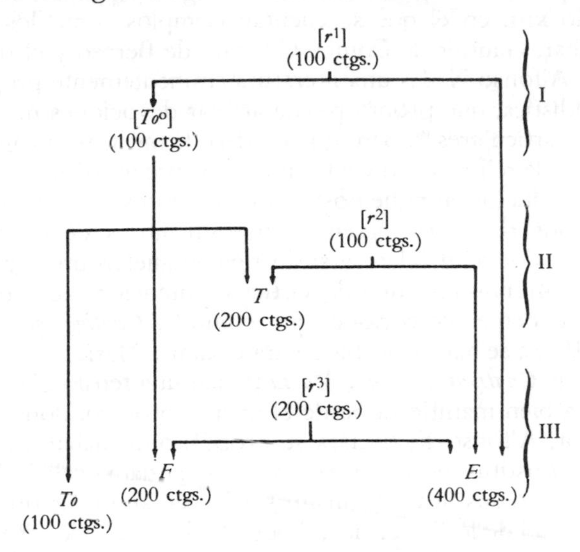

Las «Cantigas de Santa María», una colección de milagros

Las *Cantigas de Santa María*, por su contenido, es una colección de milagros. Una entre las muchas que se difundieron por Europa con fines diversos. Al igual que Gautier de Coinci, Alfonso X la concibió con un criterio orgánico que se deja ver desde el principio, constituyendo un verdadero Cancionero de autor[37], como ya ha sido reconocido.

La literatura sobre milagros es una literatura muy específica de la Edad Media[38], cuyas manifestaciones más

[36] Mettmann, Walter, *Las Cantigas de Santa Maria...*, ob. cit., pág. 23.

[37] Bertolucci, Valeria, «Libri e canzonieri», ob. cit., págs. 91-116.

[38] Montoya, Jesús, *Las Colecciones de Milagros de la Virgen...*, ob. cit., páginas 17-74.

evidentes se nos ofrecen en latín desde los siglos XI y XII, pasando luego a las diversas lenguas romances en el siglo XIII, en el que se cuentan ejemplos como los de Adgar, Gautier de Coinci, Gonzalo de Berceo y el propio Alfonso X. Es una literatura eminentemente propagandística, que pronto pasa a apoyar devociones marianas particulares[39], pero que no deja de mostrar una gran dosis de religiosidad y emotividad, sobre todo en los autores citados, aunque posteriormente estos mismos contenidos religiosos pasen a engrosar libros de «exemplos», donde el relato y su intriga adquieren un significado moralizante que desvirtúa la intención laudatoria que tienen en colecciones que, como las *Cantigas de Santa María,* se han concebido para exaltar a María.

Las *Cantigas de Santa María* tienen una tensión laudatoria bien manifiesta desde el mismo prólogo, donde el autor, Alfonso X, declara su propósito de alabar a María, constituyéndose en trovador de la dama celestial[40], cantando sus hechos milagrosos y exaltando sus títulos de Salud de los enfermos, Abogada de los débiles, Refugio de los pecadores, Auxilio de los cristianos, etc. Esta tensión laudatoria, manifestación evidente a lo largo de la Colección, tiene, como veremos, una presencia singular en todas y cada una de las cantigas y no sólo en aquellas que se introducen con el epígrafe «esta é de loor», epígrafe resumido de otros más largos, propios de las decenales, pero que no es excluyente.

---

[39] Ya Mussafia distinguía entre milagros de carácter cosmopolita y milagros de carácter local. No se diferencian gran cosa unos de otros. La misma redacción puede estar atribuida a una advocación que a otra. Véase *Studien zu den mittelalterischen Marienlegende, Sitzun bereichte des k. k.,* Akademie der Wissenschaftenzu Wien, Philos-Hist. Klasse t. 113 (1887), t. 115 (1888), t. 119 (1889), t. 123 (1891), t. 129 (1898). Un índice de estas narraciones medievales puede verse en Poncelet, A. «Index miraculorum B. V. Mariae quae saec. VI-XV latine conscripta sunt», *Analecta Bollandiana,* XXI (1902), 241-360.

[40] La voz *trobador* aparece en varias ocasiones (Prol. B, 10, 21, 260, 2, 279, 5, 316, 15, 363, 5), así como la fórmula «Des oge mais quer' eu trobar / pola Sennor onrrada» (260, 5, 295, 20, 316, 52). También desarrolla los términos: loor, servicio... a lo largo de diversas y variadas composiciones.

Según estos criterios de exaltación de María, las *Cantigas de Santa María,* se pueden agrupar, del siguiente modo:

I. *Cantigas decenales:*

a) de carácter trovadoresco (desarrollando la idea del Prólogo B: María / *Sennor;* Rey / trovador; loor, servicio...): Pr. B, 10, 110, 120, 130, 140, 150, 160, 170, 180, 230, 240, 260, (279), 370, 380, 390, (409);
b) de carácter teológico (misterios de María, sus funciones de Abogada y Madre de los pecadores, Caudilla, Estrella del día, títulos bíblicos): I, 30, 40, 50, 60, 70, 80, 90, 150, 180, 190, 210, 220, 250, 270, 330, 340;
c) súplicas personales: 100, 200, 280, 300, 350, 400 (401), (402).

II. *Milagros que exaltan a María como:*

auxilio de sus devotos: números 7, 14, 15, 43, 44, 47, 55, 67, 63, 74, 105, 159, 161, 213, 212, 225, 226, 254, 264, 273, 307, 366, 381, 395, 397;

socorro:

1. en la tribulación; 82, 109, 123, 192, 281, 284, 298;
2. en el cautiverio: 83, 85, 95, 106, 158, 176, 227, 248, 301, 325, 359;
3. en peligros de mar: 86, 112, 193, 267, 339, 373, 33, 36, 236, 313, 383;
4. en peligro de ladrones: 102, 148;
5. en peligro de moros: 28, 165, 181, 229, 271, 277;
6. ante falsas acusaciones: 135, 341, 369;
7. en peligro de muerte: 4, 89, 97, 131, 142, 144,

175, 191, 201, 233, 242, 249, 252, 266, 282, 287, 354, 337, 22, 184, 196, 194;

defensa:

1. de un castillo, 185;
2. de una iglesia, 229;
3. de un monasterio, 113;

salud de los enfermos: 41, 53, 54, 91, 114, 173, 321, 389, 244, 255;
en especial, afectados por...
mal de hidropesía, 398;
fuego de S. Marçal, 81;
lepra, 93;
mal de rabia, 223, 275, 319, 372, 393;
tullidos y contrahechos: 77, 166, 179, 218, 263, 268, 321, 333, 385;
sordos, 69, 101, 234, 262, 321, 343, 378, 391;
ciegos, 92, 126, 129, 146, 177, 247, 278, 314, 338, 362;
cojos, 37, 127, 134;
mancos, 206, 265, 289, 396;
mal en la boca, 283, 357;
mal en la lengua, 174;
mal en la garganta, 322, 346;

restituidora de vida, 11, 118, 122, 168, 169, 183, 197, 241, 269, 311, 331, 347;

consoladora de los afligidos: 5, 17, 23, 62, 97, 202, 232, 258, 341, 351, 369, 376, 386;

refugio de pecadores: 13, 45, 65, 151, 152.

Estos criterios son los que presidirían, sin duda, las

intenciones del rey sabio[41] al recoger los milagros de la Virgen. A estos criterios habría que añadir otro, el *criterio parenético.* Sin dejar de exaltar a María, muchas de las cantigas exaltan también virtudes y rechazan vicios y pecados.

Con estos criterios muchas cantigas de Alfonso X contribuyen a la tradición literaria de Castilla sobre «castigos», advirtiéndonos de las graves consecuencias que podría acarrear al individuo cometer ciertos pecados o caer en determinados vicios. En estas cantigas, María se muestra airada, celosa, vengativa; las consecuencias que se derivan de la contumacia del pecador son, a veces, excesivas, pero todas estaban asumidas por el creyente medieval en cuanto que en sus parámetros mentales la desobediencia y deslealtad a Dios era la ofensa más grave dentro del código de relaciones de siervo-señor.

Otro grupo de cantigas, las de *personalización de animales,* las de *animación de imágenes* y las de *apariciones de María en sueños o visiones,* aunque no exalten a María directamente, muestran que María es *Señora en el aire, en el fuego, en el agua y en la tierra.*

III. *Milagros que exaltan las virtudes cristianas:*

a) la devoción a María: 2, 32, 66, 103, 111, 121, 188, 195, 246, 261, 288, 291, 355, 348, 363, 364, 374, 384, 394;

b) las virtudes cristianas:
la caridad: 145, 198, 203, 212, 335;
la reconciliación: 68, 259, 344;
la castidad: 132, 137, 201, 241, 336;
la pobreza: 75;
la vida religiosa: 125, 285,

[41] Son frecuentes los términos: socorro, física, medicina, salud...

c) la oración: 6, 8, 24, 56, 71, 78, 87, 133, 141, 259, 343, 343, 377, 382, 404;
d) la penitencia: 3, 26, 98, 119, 124, 155, 217, 237, 253, 274, 305, 399;

IV. *Milagros que reprenden vicios y pecados:*

la blasfemia: 72, 153, 154, 316, 317;
la burla sacrílega: 293;
robos sacrílegos: 326, 329, 318, 302;
sacrilegios: 12, 34, 99, 215;
indiferencia: 163, 238;
injuria: 286;
el robo: 57', 379;
el juramento con mentira: 239, 392;
las muertes sacrílegas: 19;
promesas incumplidas: 35, 18, 31, 117,
la idolatría: 108, [407];
la superstición: 104' 115', 128, 208;
la incredulidad: 306', 365;
la lujuria y el amor casquivano: 16, 42, 58, 64, 84, 94, 104', 214.

V. *Milagros en favor de santuarios o iglesias marianas:* 304, 328, 357, 358.

VI. *Personalización* de animales, *animación* de objetos e imágenes; *visiones:*

a) personalización de animales: 52, 147', 211;
b) animación de imágenes: 9, 25, 38, 39, 46, 51, 59', 76, 136, 139, 162, 219, 272, 297, 303, 312, 332, 342, 349, 353', 361, 312', 387, [405]; de objetos: 73, 116;
c) aparición de María en sueños o visiones: 216, 295, 206, 292, 299, 345, 388.

Finalmente hay un grupo de *cantigas de carácter paralitúrgico,* cantadas en ocasiones en las Iglesias donde el Rey Sabio las depositó, tal como lo reflejan algunas inscripciones[42], que se refieren a las fiestas litúrgicas de Jesucristo y de Santa María, incluidas, algunas de ellas en la primera redacción (códice *To)* y que se completaron en la última y definitiva (códice *E).*

VII. *Cantigas para las fiestas de Santa María* [403], [410], [411], [412'], [413'], [414], [415], [416'], 417, 418, 419, 420, 421, 422.

VIII. *Cantigas exaltando los principales misterios de la fe cristiana:* creación [423], nacimiento de Cristo [424], resurrección de Cristo [425], ascensión a los cielos de Cristo [426], venida del Espíritu Santo a la Iglesia [427].

Además de estos criterios deducidos de su contenido, las Cantigas de Santa María poseen una organicidad de carácter externo, que es el *criterio numérico* con que se emprendieron desde su primera redacción.

Como ya resaltaba G. Menéndez Pidal y posteriormente señalaría W. Mettmann[43] hay un criterio externo al contenido del texto, pero no menos significativo. Es un criterio que se evidencia nada más observarlas.

Los medievales siguen una tradición que se remonta a la literatura latina y que da lugar a lo que Curtius denominaba composiciones numéricas[44]. La tripartición de cualquier tratado medieval, como los tercetos de la

---

[42] Algunas inscripciones en los márgenes indican cómo se cantaban en determinadas fiestas marianas.

[43] «La littérature religieuse (Liturgie et Bible). I Catalogue des textes liturgiques et de petits genres religieux», *Grundriss der Romanische Literaturen des Mittelalters,* v. VI, 1.ª, Heidelberg, 1979.

[44] Curtius, E. R., *Literatura europea y Edad Media latina,* Madrid, 1976 (2.ª reimpr.), t. II.

Divina Comedia tienen su explicación en este criterio numérico, cuyo símbolo trinitario, en estos casos, es manifiesto. También Alfonso X organiza su libro con cuidado meticuloso procurando señalar el número 10 y el número 100 (o sucesivos centenares), como símbolos de perfección. Así, después de cada nueve *Cantigas de Santa María* exaltándola en algunos de sus hechos milagrosos, sitúa una de loor de los favores recibidos en ella. En estas cantigas se exaltan los misterios de fe relativos a María (su virginidad, su maternidad, su protección hacia los humanos) como también se canta la excelencia del servicio amoroso debido a María, o se pide de María su ayuda y protección, la perseverancia en el bien y la salvación.

En el plano estético o plástico estas cantigas se identifican en los códices miniados, bien por uno o unos músicos con sus instrumentos, bien por representar al rey en actitud de narrador, o, como ha señalado Ana Domínguez, en actitud de trovador. Él, situado ante su corte, muestra el misterio de María correspondiente.

El número 100 está también puesto de manifiesto al dedicar cada una de las cantigas que cierra un centenar a una súplica de carácter personal (100, 200, 300, 400), cuyo paradigma puede verse en la cantiga núm. 401, cantiga trasladada de su posición inicial en el códice *To* (núm. 100), y que se ha situado como colofón final del libro de las *Cantigas de Santa María.*

En los códices de las historias (códices *Tj1* y *F)* se da, además, el criterio numérico del cinco, número de clara tradición mariana, extendiendo la historia miniada hasta doce cuadros, en vez de los seis habituales, en las cantigas que terminan en este número.

Estructura de las «Cantigas de Santa María»

Al ser el «Cancionero Marial» un cancionero compacto, concebido bajo unos criterios bien definidos tanto en su parte literaria como en su parte musical, vamos a tratar la estructura formal de cada cantiga bajo dos aspectos distintos, aunque complementarios: el de la letra y el de la música.

Estructura narrativa

En cuanto a su parte literaria, las *Cantiga de Santa María* se diferencian netamente de cualesquiera cantigas o composiciones literarias gallego-portuguesas. Tanto las cantigas de amor, como las de amigo y no digamos las de escarnio, son composiciones cortas que no exceden de cinco estrofas, siendo la mayoría de ellas de sólo tres. En el caso de las composiciones del Cancionero Marial éstas son las menos, siendo su gran mayoría composiciones que exceden de las cinco estrofas, así como sus versos son mucho más largos —predominan los versos de 14 sílabas— que los de las correspondientes de amor y de amigo, que suelen ser octosílabos o decasílabos en su mayoría.

Esta mayor extensión en número de estrofas y en número de sílabas se debe, sin ningún lugar a dudas, a ser esta lírica religiosa mucho más narrativa que intimista o personal. Aunque los milagros tienden a acortarse en su redacción poetizada, sin embargo es imposible contener en un número corto de estrofas la serie de vicisitudes que muchos de ellos encierran.

Otra diferencia es que la gran mayoría, por no decir todas, son de carácter responsorial, lo que hace que sean de refrán. Refrán que en nuestro caso no es, como en las de amigo, recogido del acervo popular, sino que se compone expresamente para este caso, siendo en su repetición un constante corrector de la lectura del suceso.

Las *Cantigas de Santa María* se inician —al contrario de las profanas— con unos versos —ordinariamente dos, pareados o no, según la música empleada— en los que se enuncia un principio eminentemente religioso, ético o laudatorio, que se repite al término de cada estrofa.

Este pareado —o estribillo, en la terminología musical— es denominado por Alfonso X «razón», por su carácter de proposición gramatical que emite el juicio o pensamiento que se deduce del milagro que se narrará inmediatamente después, concibiéndose la narración del mismo como comprobación de aquella verdad sentenciosa que encierra el refrán.

La lectura de las cantigas, así como del *Prólogo* B, orientativo de lo que Alfonso X se proponía, nos hace pensar que el Rey Sabio —conocido el milagro que iba a poetizar— elaboraba una «razón» y así dirigía la lectura del mismo, proponiéndolo como demostración de lo dicho.

Inmediatamente viene la narración del milagro, que comienza con un exordio de ponderación de lo que se va a oír («un miragre vos direi, de que sabor / abredes poy-l'oirdes»), procedimiento de captación de la benevolencia del oyente o del lector. En este exordio, a veces, se añade la fuente, bien su tradición oral, bien la escrita, recurso de autoridad al que se añade el verismo localista, indicando el lugar donde ha ocurrido el milagro.

Luego de este breve exordio, el narrador se fija en el beneficiario del milagro y sobre todo en su crisis (religiosa, moral o física: su enfermedad, el peligro que sufre, la tentación, etc.), es decir, su carencia, en términos formalistas, provocadora de la intervención sobrenatural, que en la mayoría de las veces se presenta de modo gratuito («mas a Virgen, de Deus Madre, logo enton dél se menbrou» cantigas núms. 13, 30-41) y en otras, después de insistentes ruegos, como en el caso de Teófilo, o por medio de la intercesión de otros santos, que actúan como ayudas subsidiarias.

El beneficiario suele ser un pecador. Los hay en los que el milagro es el reconocimiento de la buena vida observada, como en el caso de arzobispo de Toledo, San Ildefonso, o su similar el obispo Bono, pero la mayoría son individuos normales y corrientes, cuya vida es la de un pecador. No deja de existir en su mayor parte el recuerdo de un servicio a María, quien, según el derecho medieval, actúa como Señor feudal que acude a defender a su «encomendado» o a protegerle de las asechanzas del enemigo común, el diablo, verdadero antagonista, que promueve el mal —físico y moral— en este mundo literario de los milagros.

Esta intervención de María suele ser reconocida al final de la narración, bien por el propio beneficiario, bien por los circunstantes, cuya reacción inmediata es la acción de gracias y, consecuentemente, la alabanza:

> Quand'esto viu a moller, ouve pavor
> da primeir', e nois tornou-sse-l'en sabor;
> e deu poren graças a Nostro Sennor
> e a ssa Madre, porque a quis'oyr
> (*Cant. E* 21, 55-58).

En ocasiones, el narrador se dirige a los oyentes recomendándoles que también ellos se adhieran a la alabanza de María. Así, por ejemplo, en el milagro en que la Virgen de Salas actuó como antigranizo en una tormenta en los campos de Morella, se termina diciendo:

> E poren loar devemos / a Madre do grorioso
> Rei, que fez este miragre / por ela atan fermoso,
> per que cada ũu deve / a seer muy desejoso
> d'aver a sua mercee, / en que jaz toda bondade
> (*Cant. E* 161, 42-45).

Ahora bien, quien actúa como corrector de otras lecturas que no sea la laudatoria y la religiosa es la «razón» que se repite como estribillo y en ocasiones interrumpe violentamente, aun la sintaxis del texto, cantada por un solista que protagoniza el canto y atrae la atención sobre él y sobre cuanto dice.

Estructura musical

No podemos olvidar que las cantigas fueron compuestas para ser cantadas. El elemento musical es primordial y así se demuestra gráficamente en los códices, donde, si bien la partitura no está representada en todos sus elementos componentes, como afirma Ismael Fernández de la Cuesta[45], sí muestra con fidelidad la melodía, cuya importancia es básica para «conocer la relación entre los elementos melódicos y los prosódicos y métricos de los poemas, y para descubrir la funcionalidad de la música con relación a los textos y viceversa».

Según este mismo autor la cantiga se iniciaba por el estribillo y no por la estrofa. Los cantores del estribillo, conocida su perfección, debieron ser personas cualificadas, no el pueblo. De ahí que muchas de las afirmaciones sobre el carácter popular de algunas melodías hay que tomarlas con ciertas precauciones.

> Dado el esquema responsorial de las piezas y la estructura musical de las estrofas, divididas en dos secciones, mudanza y vuelta musical, la mayor extensión del ámbito se produce en la mudanza, puesto que la vuelta repite, total o parcialmente, la música de la respuesta. De esta manera la cantiga reproduce, casi de

[45] Fernández de la Cuesta, Ismael, «Los elementos melódicos de las Cantigas de Santa María», *Revista de Musicología,* VII (1984), págs. 1-40. Véase también del mismo autor, *Historia de la música española,* Madrid, Alianza Música, 1983, págs. 294-306.

modo invariable y estereotipado, un esquema ternario de dos arcos pequeños que circunscriben uno mayor, como los arcos de una portada románica, o los de una iglesia de tres naves en plano alzado.

Estas características, totalmente nuevas, hacen concluir el mencionado musicólogo que el repertorio de las cantigas no parece producto de una prolongada sedimentación efectuada en una larga tradición oral, ni se produjo por una amalgama o concentración de materiales dispersos, como es el material de los diversos cancioneros de trovadores. El repertorio, en su «conjunto» se llevó a cabo como una idea nueva y original, sin que quiera esto decir que careza de fuentes o determinadas influencias.

Razón, miragre y *son* constituyen, en consecuencia, la cantiga. Cuando el autor habla de la parte literaria suele hacerlo bajo el término *cantar,* pero cuando lo hace con el término *cantiga* hay que interpretarlo como el resultado de aplicar el *son* (la melodía) a la letra.

Las cantigas suelen tener, en 306 casos, el esquema AA / bbba, es decir, el esquema de un *virelai:* estribillo de dos versos monorrimos, una mudanza de tres versos también mororrimos, más un verso de vuelta que rima con el estribillo.

A veces la vuelta la constituyen dos versos con el esquema de AA / bbaa o bien el estribillo lo forman dos versos de rima distinta y la vuelta rima con el segundo verso del estribillo, quedando suelto el primero: AB / cccb.

En ocasiones el estribillo está formado por tres y aun cuatro versos presentando esquemas de *virelais* ampliados como el caso de la cantiga núm. 57 (AAB / ccddb) o el de las núms. 150 (AAAB / cccb) o 369 (AAAA / bbaa).

La estrofa suele estar constituida por cuatro versos, pero las hay de cinco y de seis. En casi todas se tiende al isosilabismo pero hay estrofas polimétricas.

Lo que es común con la lírica profana gallego-portuguesa es combinar versos agudos y graves, atendiendo, para la medida del verso, a la norma de los provenzales de contar hasta la última sílaba acentuada.

Junto a la modalidad de *virelai*, la más común entre todas las cantigas y que, en ocasiones (cantiga núm. 28) se emplea con gran libertad, se encuentran casos como la cantiga prólogo (núm. 1) que son ejemplos de canciones provenzalizantes, donde se desarrolla un tema trovadoresco de alto contenido amoroso en siete estrofas de verso decasílabo, singulares, con esquema: aaabab. También encontramos canciones de carácter autóctono de siete u ocho estrofas de dos versos heptasílabos y refrán que no rima más que consigo mismo, resultando ser lo que en la métrica gallego-portuguesa se le llama «palavra perduda», como son los ejemplos de las cantigas núms. 25 y 32.

Un caso semejante a los anteriores, pero que Anglés lo califica de «balada», es la cantiga núm. 10, que debería ser una composición de cuatro estrofas de dos versos dodecasílabos y refrán (A12 / b12 b12).

Encontramos ejemplos de *rondel* (el *rondeaux* francés) en los que la estrofa —tres unisonantes— se ve intercalada por uno de los versos del refrán: ejemplos, las cantigas núms. 20 y 33.

Casi todos los modelos de cantigas distintas de la métrica *zejelesca* o de *virelai* pertenecen a las decenales, que, como indicamos en la agrupación, desarrollan temas litúrgicos o bíblicos, como las que se inician con «Virga Jesse» (cantiga núm. 4) o «Deus te salve, gloriosa, Reŷa Maria» *(E* 40), o bien temas de amor, semejantes al trovadoresco, como aquella bellísima que se inicia con el estribillo:

Rosa das rosas e Fror das frores,
Dona das donas, Sennor das sennores

(Cant. 10).

y cuyo cuerpo de canción es una nueva declaración de Alfonso X como trovador de María, a cuyo servicio ha decidido consagrarse y renunciar, en consecuencia, a los otros amores («dou ao demo outros amores»).

Entre estas cantigas se encuentran las más originales y personales, como pueden ser las números 200, 300 y 401 que son sendas súplicas, en las que Alfonso X, agobiado por el peso del reino, de sus enfermedades y de las asechanzas sufridas, se dirige a María pidiéndole su ayuda y, de modo especial, la perseverancia en el bien y su salvación.

Hemos optado por el texto propuesto por W. Mettmann quien generosamente nos ha facilitado el poder usar su más reciente edición crítica[46], respetando los versos ajustados a las rimas, pero hemos advertido en los casos oportunos la conveniencia de acoplar los versos a las frases musicales, lo que regularizaría la métrica que en ocasiones resulta complicada. En este último caso seguimos los consejos de normalización que ha dado recientemente Gerardo V. Huseby[47]

Cantigas profanas

De Alfonso X se conserva, además de la lírica religiosa o «loores de Santa María», tres canciones de amor (Nunes XXV-XXVII), treinta y cinco cantigas en el Cancionero de Burlas (Lapa *CEM* 1-I-35) y cuatro «Tensões» (Lapa *CEM* 149, 303, 419, 427), de atribu-

---

[46] De esta revisión del texto ya ha salido el I volumen (ob. cit., Madrid, Castalia, 1986).

[47] Huseby, Gerardo V., «Musical Analysis and Poetic Structure in the *Cantigas de Santa Maria*», *Medieval and Golden Age Studies presented to Dorothy Clotelle Clarke,* ed. John S. Geary, Madison, 1983, págs. 81-101. Con ánimo de dar coherencia a la presentación de las cantigas aquí contenidas tendremos en cuenta las recomendaciones de este autor denominando cada cantiga según su música.

ción segura, más una cantiga de amigo de dudosa atribución (*CBM* 342). De todo este corpus lo que más ha llamado la atención es el conjunto de cantigas de escarnio y de maldecir por el atrevimiento con que trata ciertos temas obscenos y por las acusaciones que hace a ciertos personajes de la época, nobles, trovadores y segreles no privándose de criticar a hombres de iglesia como el deán de Cádiz y aun al propio Papa.

Lo más inmediato que salta a la vista respecto a este conjunto es su deficiente tradición manuscrita. Contenidas casi todas estas producciones literarias en los apógrafos italianos Colocci-Brancuti y Cancionero de la Vaticana (*CB*, hoy *CBN* por pertenecer a la Biblioteca Nacional de Lisboa, y *CV*) y con las mismas dificultades y deficiencias que todas las copiadas en estos manuscritos. Códices debidos a copistas italianos de finales del XV y principios del XVI[48]. Las de amor también están recogidas en el *CB* (hoy *CBN*), y no constan en el *Cancionero d'Ajuda*, Cancionero que recoge las cantigas de este género (*CA*), como hubiera sido de desear[49]. Esta dispersión hace pensar que Alfonso X no tuvo ningún

[48] La lírica profana gallego-portuguesa, que el pequeño tratado de poética que precede al mayor de los apógrafos italianos subdivide en cantigas de amor, de amigo y de escarnio o de maldecir además de algunos otros géneros menores, ha sido conservada, como todo el mundo sabe, por los Cancioneros de Ajuda (*CA*), de la Vaticana (*CV*) y de Colocci-Brancuti (*CB*), el primero formado en la Península Ibérica en los dos últimos decenios del siglo XV, pero con mayor probabilidad en los primeros años del siglo XVI por iniciativa y a expensas del humanista Ángelo Colocci.» Así resume Giuseppe Tavani los diversos estudios realizados en lo que va de siglo sobre estos Cancioneros, detallando más tarde tanto la descripción como la dependencia de unos y otros en lo que él califica de «tradición pobre, tradición estéril» en su trabajo, *Poesía del duecento nella Penisola Iberica*. Problemi della lirica galego-portoghese, Roma, Ediziones dell' Ateneo, 1969.

[49] *El Cancionero de Ajuda*, conservado en la Biblioteca de Ajuda, Lisboa, presenta muchos puntos de contacto con los códices salidos del *Scriptorium alfonsí* y como los códices de las *Cantigas de Santa María* debió estar preparado para recoger la música de la primera estrofa, dado el espacio dejado vacío para el efecto. Véase Michaëlis, Carolina, *Cancionero da Ajuda*, edición crítica y comentada por..., 2 vols., Halle a. S. 1904.

proyecto editorial para esta producción profana, semejante al que tuvo para la lírica religiosa; como también da pie a interpretar en su sentido literal las muchas confesiones que hace de renunciar a cantar otra dama que no sea Santa María *(Pr.* B, cantigas núms. 3, 25, etc.). Sin embargo no debemos dejarnos llevar de apreciaciones ilusorias pensando que existe una línea divisoria en la cronología a partir de la cual Alfonso dejó de trovar temas y motivos profanos y comenzó a cultivar sólo la lírica religiosa[50]. Cualquiera de estos ejercicios lo debió realizar el rey con la simultaneidad que le ofrecía su vida palaciega. Es decir, que puede pensarse con toda legitimidad que mientras manda al demonio los otros amores («dou ao demo os outros amores», *Cantigas de Santa María* 3, 22), confesaba a su amada que morirá de no obtenerla («ante bem sey ca morrerey, / se non ey vos que sempr amey», Nunes, *Amor,* XXV, III).

Por tanto, si queremos disipar la perplejidad que puede asaltarnos todavía al contemplar la ingente obra mariana, llena de sentimientos piadosos y de religiosidad, junto a denuestos tan descarados como los dirigidos al deán de Cádiz o al Papa, o confesiones reiteradas de morir de amor por su amada, hemos de acudir de nuevo a considerar lo que dice la *Partida Segunda* en su título IX ley 30.

El pasatiempo palaciego («Jugar de palabra») Partida 2.ª, *IX, 29)*

Entre las funciones que cumplía el palacio estaba —como hemos dicho más arriba— el «fablar —en él— como en manera de gasajado», es decir hablar placenteramente y ofrecer este placer a los demás que se reunían

[50] Bertolucci, Valeria, «Alcuni sondaggi per l'integrazione del discorso critico su Alfonso poeta», *Estudios Alfonsíes,* edit. por J. Mondéjar y Jesús Montoya, Granada, Universidad de Granada, 1985, págs. 91-117.

públicamente con el rey. Y este placer en compañía podía ser originado por medio del departir, por medio del retraer y —lo que más nos interesa ahora — a través del «jugar de palabra».

¿Qué era «jugar de palabra»?, ¿cuáles eran sus reglas?, ¿cuáles sus límites?, ¿cuál su finalidad?

Hoy todavía conservamos el «juego de palabras» que según el Diccionario de la Academia es un artificio que consiste en usar palabras, por donaire o alarde de ingenio en sentido equívoco o en varias de sus acepciones o emplear dos o más palabras que sólo se diferencian en alguna o algunas letras *(DRAE* ac. «juego de palabras»). «Jugar de palabras» por tanto no puede referirse a ninguno de los juegos recreativos citados en varias ocasiones en las *Partidas* y a los que se dedicó todo un Libro —el *Libro de los Juegos*— en el *scriptorium alfonsí*. Se refiere, sin ningún lugar a dudas, al juego antes descrito en el que el instrumento es la palabra y cuya inspiración procede del ingenio. Ingenio que se valía del equívoco para de este modo provocar el entretenimiento o placer en compañía, como más tarde dirá la ley siguiente.

La misma etimología *jocari* (bromear) y el antiguo uso (Cid, Berceo, etc.), de «juego» como broma, chanza, extendido en la Edad Media como «burla» nos está indicando que aquí el legislador tenía en cuenta lo que en otras ocasiones había denominado «juegos de escarnio» *(Part.* 1.ª, VI, XXXV) o «mal dezir por palabras e tales por rimas» *(Part.* 1.ª, V, LXXV), vedados a prelados y clérigos pero que aquí, en el marco lúdico del palacio y ante hombres de corte, sí se permite, siempre que se digan como «conviene».

De ahí que la ley siguiente dicte las normas oportunas diciendo.

> E en el juego deve catar, que aquello que dixere, que sea apuestamente dicho, en non sobre aquella cosa que fuere en aquel, con quien jugaren, mas aviesas dello.

En primer lugar el legislador se preocupa de la «apostura» en el decir y en el «contenido» de lo dicho. Lo primero nos da a entender que el juego de palabra debe atenerse a las mínimas reglas de la retórica que es la que trata del decir las palabras apuestamente; lo segundo trata de que «aquella cosa que fuere en aquél, con quien jugaren» no sea «mas aviesas dello», es decir «al revés» *(DCECH)* de lo que en realidad es. Belleza en el decir y verdad en lo dicho son, pues, dos elementos primordiales.

Los límites, por tanto, se derivan de estas dos exigencias y, de modo especial, de ésta última. El ejemplo con que ilustra lo dicho es bien claro:

> ... mas aviessas de ello: como si fuere couarde, dezirle que es esforzado, e al esforçado jugarle de couardía.

Las chanzas y burlas no pueden ir más allá de lo que en la apreciación común se tiene como verdad. Así pues, no hay que considerar que se excede en las burlas de los ricos hombres por su mezquindad y avaricia (Lapa *CEM* 31 y 32), como en las de cobardía de sus caballeros Don Meendo y Don Foan (Lapa *CEM* 4 y 6) o de la ridiculez de los fanfarrones soldados (Lapa *CEM* 9, 20 y 21). Hay, sin embargo, otras (Lapa *CEM* 15, 17, 33 y 34...) en las que difícilmente podemos admitir su ecuanimidad, dado que se dirigen a enemigos suyos o al menos que militan temporalmente en campos contrarios: Pero da Ponte, Gonzalo Eanes do Viñal, el deán de Cádiz o el mismo Papa (Clemente IV o Gregorio X). Las referidas a soldadeiras o ridículas señoras cortesanas (Lapa *CEM* 5, 7, 14, 25, 28), a pesar de sus escabrosidades, hay que considerarlas como juegos de palabras donde el doble sentido y, sobre todo, su versión más obscena suscitaría la risa, si no la risotada, en el androceo frecuentador de palacio.

Porque, eso sí, la finalidad era hacer reír. La ley sigue diciendo:

E esto deve ser dicho de manera, quel con quien jugaren, no se tenga por escarnido, mas quel aya de plazer, e ayan de reir dello, también él, como los otros que lo oyeren. E otrosí el que lo dixere, que lo sepa bien dezir en el lugar que conviene, ca de otra guisa no sería juego. E por esso dize el proverbio antiguo, que no es juego, donde ome non ríe. Ca sin falla el juego con alegria de deue fazer, e non con saña, ni con tristeza.

Según estas palabras, a Alfonso X hay que alinearlo con la corriente doctrinal procedente de Horacio («ridentem dicere verum») y no con la de Juvenal[51]. Se trata de decir las cosas no al revés, ni contrarias a la verdad, pero con el sano fin de hacer reír. La comicidad era, pues, elemento necesario, indispensable, mientras que la crítica de la sociedad hay que juzgarla como objetivo de segundo orden. El proverbio es taxativo: «non es juego, donde ome non ríe». El origen de él lo encontramos en la eutrapelia de Aristóteles *(Philos.* 4 *Ethicor.* cap. 15; Santo Tomás *2.ª 2ae.* cuestión 72, art. 2)[52], así como la proposición contraria la incluye, con doble sentido, Alfonso X en aquel maldecir de don Foan que, queriéndolo o no, en vez de ir a Lora se fue a Talavera, consolándose de su no participación en la guerra y, en consecuencia, de la privación de los honores derivados de la misma, con aquella frase:

ca non é jog'o de que omen chora.

(Lapa *CEM* 16, 31.)

---

[51] Scholberg, K. R., *Sátira e invectiva en la España medieval,* BRH, Madrid, Gredos, 1971.

[52] «Ad eutrapelum pertinet dicere aliquod leve convicium ("burla", "chanza"), non ad dehonorationem vel ad contristationem eius in quem dicitur, sed magis causa delectationis et ioci. Et hoc potest esse sine peccato, si debitae circunstantiae observatur», *Thomae Aquinatis Summa Theologica,* III, Secunda secundae, BAC, Matrici, MCMLII, pág. 485.

Cantigas de escarnio y maldecir

La tradición ha consagrado la denominación de Cantigas de escarnio y de maldecir para un gran número de composiciones cuya temática es la sátira, pero que sus motivos son múltiples. En ellas se va de la sátira personal y despiadada a la más fina ironía. Todas, sin embargo, hay que entenderlas bajo la clave de este pasatiempo cortesano, cuyo principal objetivo, como hemos visto, era procurar la risa mediante el método de la contraposición entre lo ideal y la ridícula realidad[53].

Es difícil distinguir las Cantigas de escarnio de las de maldecir. Por esto, casi todos los autores adoptan el estilema conjunto para denominarlas, aunque contamos con una distinticón que data, según todos los críticos, del siglo XIV[54], y que es como sigue:

> Cantigas d'escarneo son aquelas que / os trobadores fazen querendo dizer mal d'algue(m) en elas, e dizen lho con palauras cubertas, que aiam dous entendymentos para lhe lo non entenderen ligeyramente; e estas palauras chaman os clerigos hequivocatio (...)
>
> [Cantigas de escarnio son aquellas que hacen los trovadores queriendo decir mal de alguien, y lo dicen con palabras encubiertas, que tienen dos entendimientos para que no se entiendan sencillamente; y estas palabras los clérigos las dicen *aequivocatio* (...).]
>
> Cantigas de mal dizer son aquela(s) que fazen os trobadores (mais) descubertamente; en elas entran palauras

---

[53] *Vid.* Scholberg, *Sátira...*, ob. cit., pág. 12.

[54] D'Heur, J. M., «L'Art. de Trouver du chansonier Colocci Brancuti. Edition et Analyse», *Arquivos do Centro Cultural Português*, París, 1975, páginas 321-298.

que queren dizer mal e non auer(an) outro entendimento senon aquel que queren dizer chaamente e outrossy as todos fazen dizer mais (...)

[Cantigas de maldecir son aquellas que hacen los trovadores más abiertamente; en ellas entran palabras que quieren decir mal y no tienen otro sentido sino aquel que expresan y también todos las hacen decir más (...).]

Esta definición contenida en el *Arte de Trovar* (parte III, cap. IV) procedente del *Cancionero* da Biblioteca Nacional, coincide en el mensaje o contenido (dizer mal d'alguen / mal dizer... dizer mal), pero se distinguen en el empleo del artificio retórico que es la «aequivocatio» (la anfibología, el equívoco, la ambigüedad). Éstas serían las de escarnio.

Esta distinción, poco perceptible, sobre todo con el paso de los siglos, ha hecho que se busquen otros criterios más evidentes y así se quiere ver como signo de este «dizer chaamente» la presencia en el texto del nombre del individuo satirizado y en la «aequivocatio», la ausencia de marcas fácilmente identificables[55]. Las unas serían de maldecir, las otras, de escarnio.

Si nos atenemos a este último criterio la mayoría de las sátiras de Alfonso X tienen un destinatario, lo que, además, parece conjugarse con cuanto él dice en la *Par-*

---

[55] Esta distinción está rechazada por otros en razón de que el criterio en la *Tabla de Trovar* es un criterio retórico —por tanto, estilístico— el equívoco. Véase Rodríguez, J. L. «El equívoco como recurso nuclear en la cantiga d'escarnho de los Cancioneros», *Liceo Franciscano,* XXIX (1976), págs. 33-46. No obstante este criterio, su aplicación fue siempre difícil, tal como lo confirma el que los recopiladores de la época solían hacer preceder una etiqueta aclaratoria a cada composición y, en ocasiones, unificaban ambas denominaciones, como en el caso de Stevan Faian (CBN 1561). Para Rodríguez Lapa *(Liçoes,* págs. 176-177), la mayoría de los sirventeses gallego-portugueses son de maldecir. Véase Rodríguez, J. L., *El Cancioneiro de Joan Airas de Santiago,* Anexo XII, Santiago de Compostela, Verba, 1980, nota 50, pág. 38.

tida segunda («sobre aquella cosa que fuere en aquél, con quien jugaren... deue ser dicho de manera, quel con quien jugaren, no se tenga por escarnido»), en la que parece referirse más bien al «mal dizer» que al escarnio, cuyos efectos quiere evitar («no se tenga por escarnido»). Y sobre todo la gran mayoría obtendrían en su tiempo como mínimo la sonrisa, si no la risotada.

La fanfarronería de los coteifes (o caballeros villanos) que temblaban de miedo ante la caballería mora (Lapa *CEM* 20, 21) o las pretensiones ridículas de un Ansur Muñiz (Lapa *CEM* 12) o el intencionado olvido de la silla de montar en don Meendo de Canderei cuando debía prestar su ayuda en la guerra de Granada (Lapa *CEM* 5, véase también 21, 22, 26...) debieron suscitar la risa y causar el placer de cortesanos; como también el desmesurado arrepentimiento de la soldadeira que desprecia una ocasión —sin duda suculenta— de ejercer su profesión por un escrúpulo religioso y que luego lo ofrece como sacrificio por sus pecados. Todo esto dicho en tiempo y en lugares convenientes debió suscitar, como antes he dicho, la risa franca y abierta de muchos de los «palancianos» (Lapa *CEM* 14, véase también 25, 28).

También ejerce Alfonso X la sátira literaria, aquella que denunciaba el plagio o la apropiación de melodía y cantares de otros, beneficiándose, en consecuencia, no sólo de la facilidad de encontrar rimas y sones, sino de los dones y dádivas que con ellos conseguían. De entre estas composiciones hay que destacar la polémica con Pero da Ponte, uno de los segreles más pródigos y originales de los reinados de Fernando III y del propio Alfonso X. De él dice Alfonso X que no se atiene a las reglas del trovar provenzal y que su temática más se asemeja al viejo y caduco Bernaldo de Bonaval, así como que ha robado cantares y sones a Alfonso Eanes de Cotom. Todas estas críticas hay que situarlas más dentro del sirventés personal o agresiones a cara descubierta contra los eventuales enemigos del rey, de las que se encuentran numerosas muestras en el *Cancionero de Burlas*. Y esto nos lo sugiere el saber que Pero da Ponte debió ser de la militancia de los de la Casa de Haro, tal como en un reciente artículo lo ha fundamentado Aurora Juárez[56] (Lapa *CEM* 15, 17).

Otro sirventés personal podría ser el dirigido a Gonçalo Eanes do Vinhal, caballero portugués cuya ambigüedad en su vasallaje le llevó unas veces a estar junto a Alfonso X y otras con su hermano, el levantisco Enrique (Lapa *CEM* 34, 35).

Por último, el sirventés *Se me graça fezesse este papa de Roma* (Lapa *CEM* 33) hay también que situarlo aparte. Tavani[57] lo incluye entre las cantigas de escarnio y de maldecir pero en el grupo último inspirado en acontecimientos o personajes políticos determinados. Es una sátira dirigida al Papa (Clemente IV o Gregorio X), bien con motivo del conflicto surgido con ocasión de la sucesión del arzobispo de Santiago, Juan Arias, o bien reflejo de la animosidad suscitada entre el rey y el Papa con motivo de la elección de Alfonso X como candidato a la dignidad imperial.

La cantiga del desengaño

Capítulo aparte exige la cantiga denominada por Tavani[58] como «cantiga di sconforto», un sirventés moral en el que, con una métrica bellísima, el rey se lamenta de todos los afanes sufridos en su vida como trovador,

---

[56] Juárez, Aurora, «Nuevos puntos de vista sobre la polémica entre Alfonso X y Pero da Ponte», *Estudios Románicos dedicados al profesor Andrés Soria Ortega,* edit. por J. Montoya y Juan Paredes, Granada, Departamento de Filología Románica, 1985, págs. 407-422.

[57] Tavani, Giuseppe, «La cantiga d'escarnho e de mal dizer galego-portoghese», E. Die politische Satire, *Grundriss der romanische Literaturen des Mittealters,* VI, 1, págs. 309-313.

[58] Tavani, Giuseppe, *Repertorio Metrico della Lirica galego-portoghese,* Roma, Edizioni dell'Ateneo, 1967 (18, 26). También del mismo autor «La satira morale e letteraria nella Lirica galego-portoghese», D. Die moralische und litearische Satire, *Grundriss der romanischen Literaturen des MA.*, VI, 1, 272-274.

caballero y guerrero, renunciando de todo ello y recluyéndose en la ilusoria y pacífica vida de un buen burgués, marinero y comerciante de aceite y harina, recorriendo la ribera y huyendo así de las maledicencias, chantajes y persecuciones a que se veía sometido.

Todos cuantos han escrito sobre esta cantiga han señalado la sinceridad de sentimientos que en ella se respira. Valeria Bertolucci[59], por su parte, se ha valido de estilemas y rimas presentes en la misma para emprender, con un sistema de crítica textual interna, la búsqueda de la unidad de inspiración en la lírica alfonsí.

También ella alude a la cantiga de Santa María núm. 300, donde Alfonso X desarrolla un tema parecido con una métrica similar.

Con extraordinaria agudeza la hispanista italiana hace coincidir en significado el verso «u os alacrâes son» (Lapa *CEM* 10, 11) con «ca felôes / coraçôes» *(Cantigas de Santa María* 300, 57-58) y sobre todo el verso último «con que me cuidan matar» *(Cantigas de Santa María* 300, 70) con las últimas de este canto de desconsuelo «u me non posan culpar (¿colpar?) alacran nero nen veiro» (Lapa *CEM* 10, 51). Yuxtaponiendo estos versos se ilumina la metáfora «alacrâes = felôes coraçôes», descubriendo así unos mismos sentimientos prodecentes, sin duda, de una misma inspiración.

Pero no sólo existen en estas dos composiciones alfonsinas estos versos que se iluminan entre sí. Hay otros también que redundan en la misma idea o la complementan. Así, por ejemplo, «o que diz a maa gente» *(Cantigas de Santa María* 300, 41) explicaría «o poçon / do alacran» (Lapa *CEM* 10, 24), como la idea general de huir y abandonar el canto, la caballería y las armas tendría mucho que ver con la última estrofa de la cantiga:

E ar aja piadade

[59] Bertolucci, V., «Alcuni sondaggi...», ob. cit., pág. 76.

de como perdí mis dias
carreiras buscand'e vias
pòr dar aver e herdade
u verdad e lealdade
per ren nunca puid'achar,
mais maldad'e falssidade
con que me cuidan matar.

(*Cant.* 300, 61-70.)

Un mismo sentimiento de frustración, de desahogo personal, de tristeza discurren a través de las dos composiciones, cuyo lirismo intimista bien podría figurar en antologías de líricas modernas.

«Tenções» suscritas por Alfonso X

Cuatro «tenções» de las contenidas en el Códice de la Biblioteca Nacional de Lisboa *(CBN)*, están firmadas por «Rei D. Alfonso X» conjuntamente con trovadores de la época, frecuentadores, sin duda, del palacio real: García Pérez (probable merino en Galicia en 1282), Vaasco Gil, caballero portugués, Payo Gómez Charinho, Almirante de Castilla, y el probable trovador catalán Arnaut Catalán.

La tensón es un género dialogado en el que intervienen dos poetas, obligándose a alternar las estrofas y a seguir el mismo esquema estrófico y la misma sucesión de rimas. Los temas pueden ser variadísimos. El *Arte de Trovar* admite esta variedad diciendo:

Estas se podem fazer d'amor ou d'amigo
ou d'escarnho ou de mal dizer.

[Éstas pueden ser de amor o de amigo o de escarnio o de maldecir.]

Esto ha llevado a algunos a calificar como «tenções»

las composiciones de amor y de amigo en las que el poeta adopta una actitud dialogante, bien con la dama, bien con el amigo o con la madre. Albert Gier[60] ha creído ver también «tençóes» en las Cantigas de loor de Santa María, sobre todo aquella en que Alfonso X comienza con la interrogación retórica:

> Dized, ay trobadores,
> a Sennor das Sennores,
> porque non a loades?
>
> (*Cant.* 25.)

invitación a otros poetas para que interviniesen en el loor de Santa María, provocadora, quizás de una serie de respuestas, desconocidas en la actualidad o, lo más probable, nunca dichas. En cualquier caso, como dice Elsa Gonçalves[61], el criterio objetivo para denominar tensón a una composición es la participación en el mismo texto de dos trovadores alternando su intervención y sometiéndose a las reglas anteriormente mencionadas.

Las conservadas, suscritas por Alfonso X, son principalmente satíricas. Sólo hay una en que se mezcla la dama en un tema más bien bajo y soez. Es la tensón bilingüe (en provenzal y gallego-portugués) sostenida entre Arnaut Catalán y el Rey Sabio, en la que el trovador catalán pide al rey que le haga almirante de la flota castellana, que él sabrá proporcionarles buen «viento de sí»[62], lo que origina la respuesta del rey nombrándole «Almiral Sison», nombre equívoco relacionado con el despropósito mencionado por Arnaut. Una vez concedido el título, el poeta provenzal declara su intención de trasladar su dama a Ultramar, lo que es desaconsejado

---

[60] Gier, A., *«Les Cantigas de Santa Maria d'Alphonse le Savant: leur designation dans le texte», Cahiers de linguistique hispanique médiévale,* 5 (1980), 143-156.

[61] Gonçalves, Elsa e Ana María Ramos, *A lirica galego-portuguesa* (textos escogidos), Lisboa, 1985, pág. 24.

[62] Se juega con el segundo sentido de «ventosear».

por el rey, ya que con tal bagaje en su barco demostraría ser mal «doneador» («cortejador de damas»).

Con el motivo de prendas de vestir, Alfonso X debate con García Pérez y con Vaasco Gil. En la primera se le acusa al rey de llevar una «pena veira» («pelliza descolorida») aconsejándole que la abandone en un muladar, pero el rey se defiende diciendo que nunca se pagó de llevarla en la Corte, pero sí en la guerra. Por tanto no la abandonará, sino que se la dará a un «coteife» o caballero villano[63]. En la segunda se le consulta al rey sobre qué dice el *Livro* de León (Fuero de León) en el caso de que una prenda se deje en depósito. Él contesta que no conviene aceptar manto de nadie; pero si se acepta y él lo mejora, no por eso hay que llamarlo ladrón[64]. Vaasco se excusa ante el rey, pero él insiste poniendo un ejemplo del rey de Portugal que «fez (de vos) cavaleiro de Espital», es decir, caballero de la orden de los Hospitalarios.

La última que quiero comentar, por ser la que he considerado oportuna para esta Antología, es la sostenida entre Payo Gómez Charinho y Alfonso X. Lo hago, además, con las reservas que a esta tensón hace Aurora Juárez[65] quien, en un documentado artículo, discute la posible autoría de Alfonso X, y propone que se la considere una «tensón» fingida. Ahora bien, en cualquier

---

[63] Neuvonem («Los arabismos de las *Cantigas de Santa María*», *Boletín de Filología*, XII, 1951, págs. 291-352) lo identifica con los peones, pero más bien hay que interpretarlos en el sentido de caballero villano, procedente del valle del Duero, cuya dedicación era labrar la tierra, pero que eran reclutados en tiempo de guerra y se les concedía un grado de caballero de segundo orden. *Vid.* Valdeavellano, Luis G.ª de, *Curso de historia de las Instituciones españolas*, Madrid, 1968, voz Caballero villano.

[64] Se juega aquí con un concepto jurídico: la devolución del emprésito. El que recibía una prenda debía devolverla en igual estado como la recibió. Por eso argumenta Alfonso que no se le puede juzgar ladrón a quien la devuelve en mucho mejor estado.

[65] Juárez Aurora, «El tributo del yantar en el siglo XIII. Una tensón de Payo Gómez Chariño», *Cuadernos de Estudios Medievales*, XII-XIII (1984), págs. 109-118.

caso, sí es cierto lo que al final de su estudio dice la autora: «El recurso de la anfibología, de carácter jocoso e irónico, encubre una verdadera denuncia de los problemas que acarreó la nueva ordenación tributaria (cambiar el yantar en especie por una contribución económica) a determinados sectores de la sociedad de aquel tiempo, sectores a los que parece estar vinculado el propio autor de la cantiga. Pero la denuncia va aún más lejos; en el fondo viene a representar el derecho de la tradición que es desbordado y atropellado por los intereses de la monarquía y, de la nueva sociedad.» Se trataría, pues, de una cantiga de denuncia.

Cantigas de amor

También se ejerció Alfonso X en cantigas amorosas, de las que incluimos aquí tres. Este género suele clasificarse en cantigas de amor, de ascendencia provenzalizante, y cantigas de amigo, más vinculadas a la lírica de carácter autóctono. De estas últimas se conserva una de dudosa atribución a Alfonso X y por ello no la recogemos. Unas y otras tratan de amor y su clasificación, desde antiguo, obedece a criterios más bien descriptivos que de fondo, por lo que hablaremos en primer lugar de su definición para luego estudiar en concreto de las tres composiciones aquí incorporadas.

La oposición sexual de sujeto gramatical que inicia la canción («eles» en la cantiga de amor, «elas» en las cantigas de amigo) parece ser, según también confiesa Elsa Gonçalves[66], una distinción demasiado simplista y hasta inadecuada para determinar qué cantigas son de amor y cuáles de amigo. De todos modos lo que nos dice el *Arte de Trovar* sobre este género es:

---

[66] Gonçalves, Elsa, «*A lírica...*», ob. cit., págs. 21-22.

E porque algũas cantigas hy ha en que falam eles e elas outrosy, por en he bem de entenderdes se som d'amor se d'amigo, porque sabedes que, se elles falam na prima cobra e elas na outra, (he d') amor porque se moue a rrazon dela, como nos ante dissemos, e se elas falam na primeira cobra he outrosy d'amigo.

[Y porque hay algunas cantigas en las que hablan ellos y ellas, entenderéis bien que son de amor o de amigo, al saber que, si ellos hablan en la primera cobla y ellas en la otra, es de amor porque se desarrolla la razón de ella, como antes dijimos, y si ellas hablan en la primera cobla es en cambio de amigo.]

La definición, como vemos, es bien sencilla: si ellas hablan de ellos, las cantigas se llaman de amigo (su objeto es cantar el amor del amigo) mientras si ellos hablan de ellas (del amor de la dama) son cantigas de amor.

Es de lamentar que este *Arte de Trovar* nos haya llegado incompleto y mal transcrito. El mismo texto nos remite a definiciones anteriores («como nos ante dissemos») que nos podrían haber iluminado, como dice E. Gonçalves, la razón invocada: «por que se move a razom dela» («dele» en la transcripción directa de J. M. D'Heur).

La medievalista se fija en el genitivo «dela» («dele»), para suscitar una propuesta con la que estoy totalmente de acuerdo, sobre todo si se admite la transcripción de Paxeco-Machado, de la que parte también M.ª Pilar Manero en su estudio sobre los géneros gallego-portugués medievales[67]. Ella habla de un «indicador» que funcionase a manera de «marca distintiva» para el oyente, marcas que bien pueden ser una palabra clave como «se-

[67] Manero Sorolla, Pilar, «Los géneros de la lírica galaico-portuguesa medieval en el Arte de Trovar del *CBN*», *Anuario de Filología,* Universidad de Barcelona, 1975, págs. 411-420.

nhor» («mia senhor»), para los de amor; «meu amigo», «vosso amigo», «meu amigo» o «meu namorado» para las de amigo, tal como muestra D'Heur[68].

A lo dicho por estos estudiosos yo querría añadir lo que con motivo de la estructura de la cantiga de loor de Santa María he expuesto. Existe un sintagma muy repetido en éstas, no estudiado a fondo. Se trata: «De tal razón comm'esta.»

Este sintagma progresivo, en el que se usa la correlación «tal... como», su segundo término está referido a la razón expresada por el denominado estribillo, que no es otra cosa que la manifestación de un pensamiento de carácter moral o religioso deducido de la propia narración del milagro.

La «razón» por tanto es algo fundamental para llegar a comprender en profundidad la lectura del milagro. Musicalmente, además, la cantiga de loor mariano introduce el tema a través del estribillo, tema que viene a ser ampliado en tonalidad y ambito por la mudanza, pero que viene a ser retomado por la vuelta.

En el caso de la cantiga de amor la justificación del *Arte de Trovar* «porque se moue a *razom* dela», bien podría entenderse que *la razón* de la primera cobra es la que cuenta, significando que, como se entiende en sana retórica medieval, lo comenzado debe tener su medio y su fin. De ahí que la marca distintiva a que se refieren Elsa Gonçalves y J. M. d'Heur, no sólo sean esas solas palabras-claves, sino toda la proposición que se hace en la primera cobla, la cual ha de razonarse convenientemente a lo largo de toda la composición.

Es lógico que si en la primera «ele» habla «dela», se ha de mantener esta estructura monólogo con el mismo objeto o razón: el amor de ella. Si, por ejemplo, en la primera cobla se propone la ausencia de la amada y sus terribles consecuencias, las otras coblas han de moverse

[68] Citado por Elsa Gonçalves, ob. cit., pág. 22.

según el tema o motivo amoroso propuesto, de tal modo que la proposición tenga principio, medio y fin coherentes.

De cualquier modo, Alfonso X demuestra una evidente maestría en desarrollar los temas propuestos en sus dos canciones de amor reconocidas como tales.

El que exaltara el amor de Santa María como el mejor, denostando el amor humano *(Cantigas de Santa María* núm. 130), muestra que conoce la técnica y los tópicos como el mejor trovador enamorado.

La primera cantiga de este género, recogida por J. Joaquín Nunes[69] *(Amor,* núm. 49) habla de la ausencia de la dama como provocadora del sinsabor, de la locura y, en fin, de la muerte. Los sintagmas «de vos partisse», «eu ssõ(o) tam alongado», «non vir / o muy bon parecer vosso» mantienen desde el principio al fin un mismo motivo, subrayado por dos amantes, cuyo alejamiento de su amada no hizo otra cosa que aumentar su amor y aun enloquecerlos: Paris y Tristán. Consecuentemente el final entra dentro de esta lógica: «ante ben sey ca morrey, / se non ey vos que sempre amey».

La segunda (núm. 50) tiene como tema algo parecido. Esta vez el sufrir y morir de amor. El «de bom grado queria hir / logo e nunca viir» de la primera estrofa tiene correspondencia en «moyro eu e moyro por algem / e nunca vos direy mais qen», descubriendo al final: «moyro eu porque non vej'aqui / a dona que por meu mal (vi)», versos de la última estrofa.

El discordo («descort», provenzal) por último, se caracteriza por la variedad de metros y de rimas. Alfonso X firma una composición (núm. 51) que posee estas características. La variedad de rima y su polimetría intentan una identificación formal con el estado de ánimo

[69] Nunes, J. J., *Cantigas d'amor dos trovadores galego-portugueses,* Coimbra, Univ.; reimpresión Nueva York, Kraus Reprint Co., 1971. Nueva edición, Lisboa, Centro do libro Brasilero, 1972.

(«penado, penado», como dice en su verso refrán) del amante, alejado de su amada, atormentado por el deseo de su bien y tan inquieto que de durar, mejor sería no haber nacido.

Con esta bella composición quiero cerrar esta Antología del poeta-rey, cuya sensibilidad artística le condujo a cultivar todas las artes y a promover uno de los movimientos culturales más densos y ricos de Europa en el siglo XIII.

Algunas notas sobre versificación

Las cantigas profanas de Alfonso X se atienen en todo a las normas generales de la lírica gallego-portuguesa, que a diferencia de la castellana, cuenta hasta la última sílaba acentuada, combinando versos agudos y graves, y originando, por ejemplo, estrofas de versos octosílabos graves con heptasílabos agudos. En esto siguen la norma provenzal.

La estrofa o cobla suele constar de seis o siete versos, no excediendo de este número como lo hacía la estrofa provenzal, así como las composiciones no suelen tener más allá de cinco estrofas, ajustándose ordinariamente a tres estrofas.

Se exceptúan las composiciones paralelísticas, cuya estrofa o cobla suele ser de tres versos, de los que uno se repite, como refrán. En estas composiciones el número de estrofas suele ser mayor, llegando a veces hasta ocho estrofas.

Las coblas se dicen unisonantes (núm. 8) cuando se emplea la misma rima en idéntica sucesión en todas sus estrofas o singulares (núm. 1) cuando cada estrofa tiene una rima distinta, aunque permanezca el mismo orden en la sucesión. Las estrofas unisonantes ofrecían mayor dificultad, al obligar a utilizar un numeroso vocabulario con idéntica sílaba final, de ahí que se considerase el más perfecto modo de rimar, empleándose en ella muy frecuentemente nuestro autor.

Las coblas doblas (núms. 44, 48) son aquellas que usan el mismo esquema y la misma rima para cada dos estrofas, mientras las ternas son para cada tres.

En aquellas composiciones de coblas singulares solían emplear un artificio que al mismo tiempo que le ofrecía al poeta la posibilidad de encontrar rima para la siguiente estrofa, le daba a la composición cierta unidad. Este artificio era la *rima capcaudada* que consiste en comenzar la estrofa siguiente con la rima que ofrecía el último verso de la estrofa inmediatamente anterior. Cuando en vez de la rima se retomaba bien la palabra que servía la rima o cualquiera de las palabras contenidas en el verso final de la estrofa anterior, la composición se denominaba *capfinida*..

También se recurría a la anáfora y entonces las coblas se decían *capdenals*. Consistía esto en comenzar distintas estrofas con las mismas palabras.

Cuando un verso no rimaba con ningún otro de la estrofa se le decía «palavra perduda» (núm. 42) o verso suelto. Este virtuosismo formal obligaba al poeta a utilizar ese mismo recurso en el mismo lugar de las siguientes estrofas o coblas.

Otro de los virtuosismos era incluir una palabra, ya empleada en estrofa anterior, en la estrofa siguiente. Si esta se incluía como final del verso, empleándola como rima se le decía *mot rima* (núm. 51) o *mot refrán*. Si era el principio o interior del verso, pero simétricamente, se la denominaba *dobre* (núm. 47). Y si se empleaba esta misma palabra pero en formas diversas, *mozdobre*.

Con este recurso formal se relacionan las rimas equívocas, es decir, el empleo de una misma palabra en posición de rima, pero con distinta acepción. Como también el de rimas derivativas, conocidas por ser distintas formas de una misma palabra.

Muchas composiciones utilizan el encabalgamiento

interestrófico, que consiste en ligar una y otra estrofa sintácticamente, de tal modo que la frase no se completa sino con el verso siguiente. Este procedimiento es utilizado con mucha frecuencia en las *Cantigas de Santa María*, obligado muchas veces el poeta por el propio carácter narrativo de las mismas. De todos modos era un procedimiento que daba unidad a la composición y se denominaba cantiga *atẽuda*.

La *fiinda* corresponde a lo que los provenzales designaban con el nombre de tornada, que consistía en repetir las últimas rimas de la estrofa última en una especie de conclusión del pensamiento desarrollado en la canción. Los provenzales solían situar en esta última parte de la composición poética el envío, especie de dedicatoria a la dama a quien ofrecían la canción, así como la designación del juglar que la habría de llevar y ejecutar ante la amada.

La canción de amor, de tres a cinco estrofas de versos octosílabos o decasílabos —casi generalmente—, se llamaba canción de maestría, mientras que la canción autóctona se conocía como canción de refrán, que consistía en añadir, al final de cada estrofa uno o más versos que se repiten en cada estrofa.

Llegamos con este último término a lo que es esencial o peculiar de la lírica gallego-portuguesa: al paralelismo. Se da en esta lírica una serie de recurrencias verbales, conceptuales o de construcción sintáctica, que es la que ofrece el mayor encanto de la misma. A fuerza de repetir las fórmulas estereotipadas, se da una regresión en su semántica y se constituye la propia repetición en significante de carácter rítmico y musical. Este paralelismo se convierte en ocasiones en un *leixa-pren*, en el que el poeta con la técnica de la estrofa *capfinida* va enlazando las estrofas y desarrollando un pensamiento. Un ejemplo es la cantiga de Santa María, *E* núm. 160 (núm. 25), donde el poeta enuncia una sentencia religiosa con sólo unir los primeros versos de cada estrofa.

Bibliografía

Bibliografía citada abreviadamente o en siglas

Alvar-Beltrán = *Antología de la poesía gallego-portuguesa*, selección, estudio y notas de Carlos Alvar y Vicente Beltrán, Madrid, Alhambra, 1984.

Ballesteros = Ballesteros Beretta, A., *Alfonso X el Sabio*, Barcelona, CSIC-Salvat, 1963.

BERCEO = Gonzalo de Berceo, *El libro de los «Milagros de Nuestra Señora»*, edición, estudio y notas de Jesús Montoya Martínez, Granada, Publicaciones del Departamento de Historia del Español, Universidad de Granada, 1986.

BRAH = *Boletín de la Real Academia de la Historia*, Madrid.

CA = Michaëlis de Vasconcellos, C., *Cancionero de Ajuda*, edición crítica y comentada por..., Halle a. S. Max Niemeyer, 1904 (2 vols.).

CBN = *Cancionero de Biblioteca Nacional* (véase Machado, Molteni).

CSM = *Cantigas de Santa María* (véase Mettman).

cant. = cantiga.

Cuad. Est. Med. = *Cuadernos de Estudios Medievales*, Granada, Departamento de Historia Medieval, Universidad de Granada.

CV. = *Cancioneiro da Vaticana.*

CDECH = *Diccionario crítico etimológico castellano e hispánico*, por Joan Corominas con la colaboración de José A. Pascual, Madrid, Gredos, 1980 (5 vols.).

Filgueira = Alfonso X, el Sabio, *Cantigas de Santa María*, códice Rico de El Escorial, Ms. escurialense, t. I, 1, introducción, versión castellana y comentarios de José Filgueira Valverde, Madrid, Castalia, 1985.

Fita = Fita, Fidel, «Cincuenta leyendas por Gil de Zamora, combinadas con las "Cantigas" de Alfonso el Sabio», *BRAH*, IX, 1886.

Gonçalves-Ramos = *A Lirica galego-portuguesa* (textos escolhidos), por Elsa Gonçalves e Maria Ana Ramos, Lisboa, 1985.

G. Lovillo = Guerrero Lovillo, José, *Las Cantigas*, estudio arqueológico de sus miniaturas por..., Madrid, CSIC, 1949.

GRLMA = *Grundriss der romanischen Literaturen des Mittealters*, Heidelberg, 1981 (13 vols.).

H. Anglés = *La música de las Cantigas de Santa María del Rey Alfonso el Sabio*, facsímil, transcripción y estudio crítico, Barcelona, Diputación Provincial de Barcelona, Biblioteca Central, 1943-1964 (3 vols.). Aquí se cita III, 1.ª.

J. Snow = Snow, Joseph T., *The Poetry of Alfonso X el Sabio*, Research, Bibliographies and Checklist, Grant and Cutler Ltd., Valencia, Gráficas Soler, 1977.

Machado = E. Paxeco Machado y J. P. Machado, *Cancioneiro da Biblioteca Nacional* (Colocci-Brancuti), fac-simile e trascriçao, leitura, comentario e glossario por..., Lisboa, Ed. da Revista de Portugal, 1949-1964 (8 vols.).

Mettmann = Afonso X, o Sàbio, *Cantigas de Santa Maria*, editadas por Walter Mettmann, Coimbra, 1959-1972 (4 vols.). Reimpresión en Edicións Xerais de Galicia, Vigo, 1982 (está apareciendo una nueva edición crítica del mismo autor, quien me ha permitido comprobar el texto de las aquí seleccionadas con el volumen ya aparecido y con las pruebas corregidas de los que aparecerán en Clásicos Castalia, Madrid).

Mich., *Randgl.* = Michäelis de Vasconcelos, C., «Randglossen zum altportugiesischen Liederbuch», en *Zeitschrift für romanische Philologie*, XXIX (1905), págs. 700-701.

Molteni = *Il Canzoniere portoghese Colocci-Brancuti*, publicato nelle parti che completano il codice Vaticano 4803 da E. Molteni, a. S. Max Niemeyer, Halle, 1880.

M. Pidal = Menéndez Pidal, Ramón, *Poesía juglaresca y orígenes de las literaturas románicas,* Madrid, Instituto de Estudios Políticos, 1957.

Nunes, *Amor* = Nunes, J. J., *Cantigas d' amor dos trovadores galego-portugueses,* ediçao critica acompanhada de introduçao, comentario, variantes e glossàrio por..., nova ed., Lisboa, 1972.

Oliveira-Machado = Corrêa de Oliveira e Saavedra Machado, *Textos portugueses medievais,* Coimbra, Coimbra Editora, 1969.

Part. = *Las Siete Partidas del Sabio Rey don Alonso el nono,* nuevamente glosadas por el licenciado Gregorio López..., edición facsimilar, *Boletín Oficial del Estado,* Madrid, 1985.

Pellegrini = Pellegrini Silvio, *Studi su trove e trovatori della prima lirica ispano portoghese,* Bari, 1959.

Poncelet = Poncelet, «Miraculorum B. V. Mariae index», *Analecta Bollandiana,* 21 (1902), págs. 241-360.

RFE = *Revista de Filología Española,* Madrid.

Ribera, *Disertaciones* = Ribera y Tarragó, *Disertaciones y opúsculos,* edición colectiva que en su jubilación del profesorado le ofrecen sus discípulos y amigos con una introducción de Miguel Asín Palacios, tomo II, Madrid, 1928.

Riquer, *Trovadores* = M. de Riquer, *Los trovadores. Historia literaria y textos,* Barcelona, Planeta, 1975 (3 vols.).

R. Lapa = *Cantigas d' escarnho e de mal dizer dos cancioneiros medievais galego-portugueses,* ediçao critica pelo prof. M. Rodrigues Lapa, Vigo, Galaxia, 1965.

Sempere = *Historia del luxo y de las leyes suntuarias de España,* por don Juan Sempere y Guarinos, Madrid, Imprenta Real, 1788 (2 vols.).

Sendrail = Sendrail M., *Historia cultural de la enfermedad,* Madrid, Espasa Universitaria, 1983.

Tavani, *Rep.* = Tavani, G., *Repertorio metrico della poesia lirica galego-portoghese,* Roma, Ed. dell'Ateneo, 1967.

V. Bertolucci = Bertolucci Pizzorusso, Valeria, «Contributo allo studio della literatura miracolista», *Miscelanea si studi ispanici,* VI, Pisa, 1963.

Valmar. *Extractos* = Cueto, Leopoldo de..., Marqués de Valmar, *Cantigas de Santa María de Don Alfonso el Sabio,* edición de la Real Academia Española, Madrid, 1889, vol. I, págs. XIII-CXXIV (existe una tirada aparte que hizo Gayangos de estos *Extractos en lengua castellana,* s. l., ni d.)

1. *Repertorios bibliográficos especiales*

CORREIA FERNÁNDEZ, M., *Literatura Portuguesa en Espanha,* ensaio de una bibliografía (1890-1985), Porto, 1986.

FISHER, John H., *The Medieval Literature of Western Europe: A Review of Research, mainly 1930-1960,* MLA Revolving Fund Series, XXII, Nueva York, N. Y. Univ. Press for Modern Language, London Press, 1966.

LONDON, Gardiner, «Bibliografía de estudios sobre la vida y obra de Alfonso X el Sabio», *Boletín de Filología Española,* núm. 61, abril de 1960.

PELLEGRINI, Silvia e Giovanna MARRONI, *Nuevo Repertorio bibliográfico della prima lirica gallego-portuguese,* L'Aquila, 1981.

REY, Agapito, «Índice de nombres propios y de asuntos importantes de las *Cantigas de Santa María», BRAE,* XIV, 1927.

SÁNCHEZ PÉREZ, José Augusto, «Una bibliografía alfonsina (materiales para un estudio de Alfonso el Sabio)», *Anales de la Universidad de Madrid. Letras,* II, 2 y 3, 1933.

SNOW, Joseph, *The Poetry of Alfonso X el Sabio,* Research, Bibliographies and Checklist, Grant and Cutler Ltd., Valencia, Gráficas Soler, 1977.

Bibliografía. En *Cantigas de Santa María,* ed. fac. del «Códice Rico» de El Escorial, Madrid, Edilán, 1979.

Noticiero Alfonsí, Fairmount College, WSU, Wichita, USA, 1982-1987.

2. *Ediciones y antologías de las cantigas.*

Alfonso X o Sabio, *Pequeña Antología,* Universidad de Santiago, 1980.

Alfonso X el Sabio, *Cantigas de Santa María,* ed. facsímil del «Códice, *Tj1»,* Edilán, 1979.

ALVAR, C. y Vicente BELTRÁN, *Antología gallego-portuguesa,* selección, estudio y notas de..., Madrid, Alhambra, 1985.

CUETO, Leopoldo de, Marqués de Valmar, *Cantigas de Santa María de Don Alfonso el Sabio,* edición de la Real Academia Española, Madrid, 1889.

CHATHAM, James R., «A Paleographic Edition of the Alfonsine Collection of Prose Miracles of the Virgin», en *Oelschläger Festsbrift,* XXXVI, Chapel Hill, 1976.

FERNÁNDEZ POUSA, Ramón, ed., «Alfonso X, el Sabio: Cantigas de loor de Santa María», *Compostellanum,* III, 1958.

GARCÍA SOLALINDE, Antonio, *Alfonso X el Sabio, Antología I,* Col. Granada, Jiménez Fraud, Madrid, 1922; Col. Austral, Madrid, 1941.

GONÇALVES, Elsa y M.ª Ana RAMOS, *A Lírica gallego-portuguesa* (textos escogidos), por..., Lisboa, 1985[2].

KELLER, John, E., y LINKER, Robert W., «Las traducciones castellanas de las *Cantigas de Santa María», BRAE,* LIV, 1974.

— Some Spanisb Summaries of the CSM, *RoN,* II, 1960-1. «Some translations of the *Cantigas de Santa María»,* en *Romance Notes,* II, núm. 1, 1960.

METTMANN, Walter, ed., *Cantigas de Santa María,* Coimbra, Acta Universitates Conimbrigensis, 1959-72. Reed. Ed. Xerais de Galicia, 1981.

PEÑA, Margarita, *Antología de Alfonso el Sabio,* Sepan Cuantos, 229, Ed. Porrúa, Ciudad de México, 1973.

RODRIGUES LAPA, Manuel, ed., *Textos de literatura portuguesa, I: Alfonso X, o Sabio,* Lisboa, Imprensa Nacional, 1933.

3. *Estudios*

AGUADO BLEYE, Pedro, *Santa María de Salas en el siglo XIII,* estudio sobre algunas cantigas de Alfonso el Sabio, Bilbao, Garmendia, 1916.

AITA, Nella, «O códice florentino de "Cantigas" de Alfono, o Sábio», *Revista de Lingua Portuguesa,* del núm. 13 al 18, 1921-2; publicado luego como monografía, con el mismo título, en *Revista de Lingua Portuguesa,* Río de Janeiro, 1922.

ALVAR, Carlos, «Poesía y política en la corte alfonsí», *Cuadernos Hispanoamericanos,* num. 410, 1984, págs. 5-20.
— «María Pérez, Balteira», *Archivo de Filología Aragonesa,* t. XXXVI-XXXVII, págs. 11-40.
ANGLÉS, Higinio, «Les cantigues Montserratines del rei Alfons el Savi i la seva importància musical», en *Miscellànea Anselm María Albareda,* Montserrat, 1962.
— «La música de las "Cantigas" del Rey Alfonso el Sabio», *Arbor,* I, 1944.
— *La música de las Cantigas de Santa María del Rey Alfonso el Sabio,* facsímil, transcripción y estudio crítico, Diputación Provincial de Barcelona, Biblioteca Central; t. I, 1964; t. II, 1943; t. III, 1958.
— «La música en la España de Fernando el Santo y de Alfonso el Sabio», discurso del 28 de junio de 1943 ante la Real Academia de Bellas Artes, Madrid, 1943.
— «La música de las "Cantigas de Santa María" del Rey Don Alfonso el Sabio», Radio Nacional, *Revista Semanal de Radio-Difusión* (1939-1940).
— «Les "Cantigas" del rey N'Anfós el Savi» (amb la versió catalana pel Dr. Josep M.ª Llovera), Barcelona, Subirana, 1927; rep. en el vol. XIV de *Vida Cristiana,* 1927.
— «Las Cantigas del Rey Alfonso el Sabio, fiel reflejo de la música cortesana y popular de la España del siglo XIII», *Academia Alfonso X el Sabio,* Murcia, 1952.
BALLESTEROS Y BERETTA, Antonio, *Alfonso X el Sabio,* Barcelona, Salvat Editores, y Murcia, CSIC, 1963.
— *El itinerario de Alfonso el Sabio,* I, 1251-59, Madrid, Tip. de Archivos, 1935.
BELTRÁN, Vicente, «Rondel y refram intercalat en la lírica gallego-portuguesa», *Studi mediolatini e Volgari,* XXX, 1984, págs. 69-90.
— «La balada provenzal en la poseía gallego-portuguesa», *La lengua y la literatura en tiempos de Alfonso X,* Murcia, 1985, págs. 79-90.
— «Los trovadores en la Corte de Castilla (II): Alfonso X, Guiraut Riquier y Pero da Ponte», *Romania,* 1987.
BERNADOU, Pierre, *Alphonse le Savant,* Ginebra, Editions Suzerenne, 1949.

BERTOLUCCI PIZZORUSSO, Valeria, «La supplica di Guiraut Riquier e la risposta di Alfonso X di Castiglia», *Studi Mediolatini e Volgari,* XIV, 1966.

— «Contributo allo Studio della letteratura miracolista», *Miscellanea di studi ispanici,* VI, Pisa, 1963.

— «Libri e canzonieri d'autore nel medioevo: prospettive di ricerca», *Studi Mediolatini e Volgari,* XXX (1984), páginas 91-116.

— «Alcuni sondaggi per l'integrazione del discorso critico su Alfonso X poeta», *Estudios alfonsíes,* Granada, Edits. J. Mondéjar y J. Montoya, 1985, págs. 91-118.

BERTONI, Giulio, «Alfonso X di Castiglia e il provenzalismo della prima lírica portoghese», *Archivum Romanicum,* VII, 1923.

CARBALLO CALERO y GARCÍA RODRÍGUEZ, *Alfonso X, o Sabio. Cantigas de amor, de escarnho e de louvor,* Ed. do Castro, 1963.

CATALÁN MENÉNDEZ PIDAL, Diego, *De Alfonso X al Conde de Barcelos,* Madrid, Gredos, 1962.

— «El taller historiográfico alfonsí. Métodos y problemas en el trabajo compilatorio», *Romania,* 1963, págs. 354-375.

CLARKE, Dorothy Clotelle, «Versification in Alfonso el Sabio's "Cantigas"», *HR,* XXIII, 1955.

COLLET, Henri y VILLALBA, Luis, «Contribution à l'étude des "Cantigas" d'Alphonse le Savant d'après les codices de l'Escurial», *BH,* XIII, 1911.

COMEZ RAMOS, Rafael, *Las empresas artísticas de Alfonso X, el Sabio,* Sevilla, 1979.

— «Esbozo de la personalidad de Alfonso X como poeta y mecenas», *Archivum Hispalense,* 1979, págs. 105-128.

CUETO, Leopoldo de Marqués de Valmar, *Estudio histórico, crítico y filosófico sobre las «Cantigas» del Rey Alfonso el Sabio,* tirada aparte del prólogo de la edición de la *RAE,* Madrid, 1897.

CUMINIS, John G., «The Practical Implications of Alfonso el Sabio's Peculiar Use of the Zéjel», *Bulletin of Hispanic Studies,* XLVII, 1970.

CUNHA, Celso Ferreira da..., *Estudios de versificação portuguesa (séculos XIII a XVI)*, París, Centro Cultural Portugués, 1982.

Chisman, Anna Mary McGregor, *Enjanbement in «Las Cantigas de Santa María», of Alfonso X, el Sabio,* Univ. de Toronto, 1974; un extractc en *DAI,* XXXVI, 1975-76.

Domínguez Bordona, Jesús, «Manuscritos alfonsíes y francogóticos de Castilla, Navarra y Aragón», *Ars Hispaniae,* XVIII, Madrid, Plus Ultra, 1962.

Domínguez Rodríguez, A., «Imágenes de presentación de la miniatura alfonsí», *Goya,* núm. 131, marzo-abril de 1976.

— «Filiación estilística de la miniatura alfonsí», ponencia presentada en el *XXIII Congreso Internacional de Historia del Arte,* Granada, 1976.

— «Imágenes de un rey trovador de Santa María (Alfonso X en las cantigas)», *Il Medio Oriente e l'Occidente nell Arte de XIIIe secolo,* Hans Belting, Bologna, 1982, págs. 229-239.

— «Poder, ciencia y religiosidad en la miniatura de Alfonso X el Sabio. Una aproximación», *Fragmentos,* 2, 1985, 33-46.

— «La miniatura del 'Scriptorium' alfonsí», *Estudios alfonsíes,* Granada, edit, J. Mondéjar y J. Montoya, 1985, págs. 127-166.

Dronke, Peter, *La lírica en la Edad Media,* Barcelona, 1978.

Fernández de la Cuesta, Ismael, «Los elementos melódicos en las *Cantigas de Santa María», Revista de Musicología,* VII (1984), págs. 1-40.

Fernández de la Cuesta, Ismael, Randel, Lütofl y otros, «Alfonso X el Sabio y la música», *Mesa redonda* (Madrid, 26-28 de septiembre de 1984), *Revista de Musicología,* X (1987), págs. 11-162.

Fernández de la Cuesta, Ismael, «Alfonso X y la música de las Cantigas», *Estudios Alfonsíes,* Granada, edit. J. Mondéjar y J. Montoya, 1985, págs. 119-126.

— «Elementos melódicos en las Cantigas de Santa María», *Revista de Musicología,* VII (1984), págs. 1-40.

Ferreiro Alemparte, Jaime, «Asentamiento y extinción de la Orden Teutónica en España», *Bol. de la R. Acad. de la Historia,* CLXVIII, II, 1971.

— «Fuentes germánicas en las *Cantigas de Santa María* de Alfonso X el Sabio», *Grial*, XXXI, 1971.
— «España y Alemania en la Edad Media». Auténtica del Arzobispo Engelberto de Colonia a don Pedro Abad, cisterciense de San Pedro de Gumiel del Izán, en su viaje a Alemania en 1223, como enviado de Fernando III, *Bol. de la RAH*, CLXX, 1977.
FILGUEIRA VALVERDE, José, *Alfonso X e Galicia*, La Coruña, Real Academia Gallega, 1980.
— «Cantigas d'El Rey Sabio localizadas en Galicia, San Ero de Armenteira», *Nós*, núms. 21-26, Orense, 1925-26.
— *La Cantiga CIII. Noción del tiempo y gozo eterno en la narrativa medieval*, Santiago, 1936. Reed. Edicións Xerais de Galicia, 1982.
— «Poesía de santuarios», *Compostellanum*, III, 1958.
— «Aucto "De como Santa María foi levada aos ceos pra a festa de Nosa Señora de Agosto" refeito con testos galegos dos séculos XIII e XIV», *Grial*, XXV, 1968.
— «A raiola e a vidreira» (sobre la cantiga 412, II das Festa de Santa María), *Faro de Vigo*, 24-XII-1977.
— «A cantiga dos freixós» (sobre la 157), *Faro de Vigo*, 12-II-1978.
— «O milagre da Caldas» (sobre la 104), *Faro de Vigo*, 21-V-1978.
FITA, Fidel, «Cincuenta leyendas por Gil de Zamora, combinadas con las "Cantigas" de Alfonso el Sabio», *BRAH*, VII, 1885.
— «Variantes de tres leyendas por Gil de Zamora», *BRAH*, VII, 1885.
— «La judería de Segovia», *BRAH*, IX, 1886.
— «San Dunstán, arzobispo de Cantorbery, en una cantiga del Rey Don Alfonso el Sabio», *BRAH*, XII, 1888.
— «Treinta leyendas por Gil de Zamora», *BRAH*, XIII, 1888.
— «La cantiga LXIX del Rey D. Alfonso el Sabio. Fuentes históricas», *BRAH*, XV, 1889.
— «Nueva ilustración a la cantiga LXIII de Alfonso el sabio», *BRAH*, XVIII, 1896.
FRANK, Istrán, «Le troubadours et le Portugal», *Mélanges d'é-*

tudes portugaises à M. Georges Le Gentil, Lisboa, 1949, págs. 199-220.

GARCÍA SOLALINDE, Antonio, «Intervención de Alfonso X en la redacción de sus obras», *RFE,* II, 1915.

— «El códice florentino de las "Cantigas" y su relación con los demás manuscritos», *RFE,* V, 1918.

GIER, Albert, *«Las Cantigas de Santa María* d'Alfonse le Savant: leur designation dans le texte», *Cahiers de linguistique hispanique medièvale,* 5 (1980), págs. 143-156.

HANSSEN, Friedrich, «Los versos de las *Cantigas de Santa María* del rey Alfonso X», *AUCH,* CVIII, 1901.

— «Los alejandrinos de Alfonso X», *AUCH,* CXXXIII, 1913.

— «Los endecasílabos de Alfonso X: Estudio sobre las "Cantigas"», *BH,* XV, 1913.

— «Die jambischen Metra Alfons des X», *MLN,* XXIX, 1914.

— *Metrische Studien zu Alfonso und Berceo,* Helfmann, Valparaíso y Santiago, 1903.

HUSEBY, Gerardo V., «Musical Analysis and Poetic Structure in the *Cantigas de Santa Maria», Florilegium Hispanicum,* Medieval and Golden Age Studies, presented to Dorolhy Clotelle Clarke, Madson, Ed. J. S. Geary, 1983.

JUÁREZ BLANQUER, Aurora, «Nuevos puntos de vista sobre la polémica entre Alfonso X y Pero da Ponte», *Estudios Románicos dedicados al profesor Andrés Soria,* Granada, edits. J. Montoya y J. Paredes,1985, págs. 408-422.

— «El yantar en el s. XIII. Una tensón de Payo Gómez Chariño», *Cuadernos de Estudios Medievales,* Granada, 1985, págs. 109-118.

— «Martinho», una denominación heroico-cristiana para zenete», *I Congreso Sociedad Hispanica de Lit. Medieval,* Santiago de Compostela, 1988.

KELLER, John E., *The Pious Brief Narrative in Medieval Castilian and Galician Verse, from Berceo to Alfonso X,* Univ. Press of Kentucky, 1978 (existe traducción española, Alcalá, 1987).

— «Brief Narrative in Spanish until 1300», en *Grundris der Romanischen Literaturen des Mittelalters,* V, 2, 1985.

— *Alfonso X, el Sabio,* Twayne World Author Series, XII, Nueva York, Twayne, 1967.

— «A Note on King Alfonso's Use of Popular Themes in his "Cantigas"», *Kentucky Foreign Language Quarterly,* 1, 1954.

— «Folklore in the "Cantigas" of Alfonso el Sabio», *Southern Folklore Quarterly,* XXIII, 1959.

— «King Alfonso's Virgin of Villa-Sirga, Rival of St. James of Compostela», en *Middle Ages-Reformation-Volkskunde,* Univ. of North Carolina Press, 1959.

— «The Motif of the Statue Bride in the "Cantigas" of Alfonso the Learned», *Studies in Philology,* LVI, 1959.

— «Daily Living as Revealed in King Alfonso's "Cantigas"», *KFLQ,* VII, 1960.

— «The Depiction of Exotic Animals in "Cantiga" XXIX of the *Cantigas de Santa María»,* en *Studies in Honor of Tatiana Fotitch,* Washington, Catholic Univ. Press, 1972.

— «An Unknown Castilian Lyric Poem: The Alfonsine Translation in the *Cantigas de Santa María», Ariel,* núm. 1, Univ. de Kentucky, abril de 1974.

LAIN, Milagros, «La poesía profana de Alfonso X», Revista de Occidente, 1984, págs. 145-165.

LLORENTE CISTERO, J. M., «La Música», en la ed. dac. del Códice Tj1 de las Cantigas, Edilán, 1983.

MANERO SOROLLA, Pilar, «Los géneros de la lírica galaico-portuguesa medieval en el Arte de trovar del Cancioneiro da Biblioteca Nacional de Lisboa», *Anuario de Filología* (1975), págs. 411-420.

MARULLO, Teresa, «Osservazioni sulle "Cantigas" di Alfonso X e sui "Miracles" di Gautier de Coincy», *Archivum Romanicum,* XVIII, 1934.

MARTÍNEZ SALAZAR, A., «La Edad Media en Galicia: Una gallega célebre en el siglo XIII», *Revista Crítica de Historia y Literatura Española, Portuguesa e Hispano-Americana,* II, 1897.

MARTINS, Mario, «Milagros e romerias portuguesas, nas *Cantigas de Santa María»,* en *Peregrinaçoes e Livros de Milagres na nossa Idade Média,* Lisboa, Ediçoes Brotèira, 2.ª ed., 1957.

— «Lendas portuguesas de apariçoes de Nossa Senhora nas *Cantigas de Santa María», Brotéira,* LXVII, 1958; rep. en Estudos de cultura medieval, I, Lisboa, Verbo, 1969.

MENÉNDEZ PIDAL, Ramón, «Poesía juglaresca y juglares: aspectos de la historia literaria y cultural de España», publicaciones de la *RFE,* VII, Madrid, Centro de Estudios Históricos, 1924. Reed. 1957.

MENÉNDEZ PIDAL, Gonzalo, «Los manuscritos de las Cantigas. Cómo se elaboró la miniatura alfonsí», *Boletín de la Real Academia de la Historia,* 1962, págs. 25-51.

— «Cómo trabajaron las escuelas alfonsíes», *NRFH,* V, 1951.

— «La España del siglo XIII leída en imágenes», Madrid, Real Academia de la Historia, 1986.

MENÉNDEZ PIDAL, Juan, «Noticias acerca de la Orden Militar de Santa María de España, instituida por Alfonso X», *RABM,* XVI, 1907.

METTMANN, Walter, «Die altportugiesische Marienlyrik vor 1300», en *Grundriss der romanischen Literaturen des Mittelalters,* vol. VI, ed. H. R. Jauss, parte I, Heidelberg, 1968.

— «Airas Nunes, Mitautor der *Cantigas de Santa María», Ibero-romania,* III, 1971.

— «Zwei Wörter aus den *Cantigas de Santa María», Archiv für das Studium der neueren Sprachen und Literaturen,* CXCIX, 1962-63.

— «Zu Text und Inhalt der altportugiesischen Cantigas d'escarnho e de mal dezer», *Zeitchrift für romanischen Philologie,* 82 (1966), págs. 308-319.

— «Lexicalisches und Etymologisches aus den *Cantigas de Santa María», Romanische Forshungen,* LXXIV, 1962.

MICHAËLIS DE VASCONCELLOS, Carolina, «Randglossen zum altportugiesischen Liederbuch», *ZRPh,* del XX (1896) al XXIX (1905).

— «No seio da Virgen-Mae», *Lusa,* II, 1919; reed, como «Mo seio da Virgen-Mae: Sôbre a histórica de una quadra popular», *Biblioteca da Revista Lusa,* Viana-do-Castelo, 1922.

MONTOYA MARTÍNEZ, Jesús, «El milagro de Teófilo en Coincy, Berceo y Alfonso X el Sabio», *Berceo,* núm. 87, Logroño, 1973.

— «Criterio agrupador de las *Cantigas de Santa María»,* en *Estudios literarios dedicados a Baquero Goyanes,* Murcia, 1974.

— «Las colecciones de milagros de la Virgen en la Edad Media», Universidad de Granada, 1981.

— «Razón, refrán y estribillo en las *Cantigas de Santa María»,* *Bulletin of Cantigueiros,* 2, 1987.

MONTOYA, Jesús y Aurora JUÁREZ, *Andalucía en las Cantigas de Santa María* (Historia y anecdotas de...), Introducción de...; Estudio de la lengua y glosario por..., Secretariado de Publicaciones, Granada, Universidad de Granada, 1988.

MÜLLER, F, *Die Legende vom vernzükten Mönch, den ein Vöglein in das Paradies Leitet,* Leipzig, 1912.

MUSSAFIA, A., «Studien zu den mittelalterlichen Marienlegenden, I-V», *Stizungsberichteder phil-hist. Klasse der Kaiserl. Akad der Wissenchaften,* I-II, 1886-88; III, 1889; IV, 1891; V, 1898.

NEUVONEN, Eero, «Los arabismos en las Cantigas de Santa María», *Boletín de Filología,* XII, 1951, págs. 291-352.

ORTEGA PAGAN, Nicolás, *La Virgen de la Arrixaca y la Virgen de la Fuensanta,* Murcia, 1957.

PANUNZIO, Saverio, «Le poesie storiche. Rapporti poetici tra Pero da Ponte e Alfonso X», en su ed. de Pero da Ponte. Poesie, *Biblioteca di Filologia Romanza,* X, Bari, Adriatica Editrice, 1967.

PAREDES NÚÑEZ, Juan, «Las Cantigas profanas de Alfonso X el Sabio», *La lengua y la literatura en tiempos de Alfonso X el Sabio,* Actas del Congreso Internacional, Murcia, 1984, 1985, págs. 449-466.

PELÁEZ, Mario, «La leggenda della Madonna delle Neve a la *Cantigas de Santa María* 309 di Alfonso el Sabio», *Homenaje a Menéndez Pidal,* Madrid, Hernando, 1925.

PELLEGRINI, Silvio, «Due poesie d'Alfonso X», *Studi Mediolatini e Volgari,* I, 1953; reed, en *Studi su trove e trovatori della prima lirica ispano-portoghese,* 2.ª ed., Biblioteca di Filologia Romanza, III, Bari, Adriatica, 1959.

— «Noterelle alfonsine (Su A 256)», *Studi Romanzi,* XXIX, 1942; reed. en *Studi su trove e trovatori...*
— «Alfonso X (rapido profilo)», *Galuco,* I, 1945; reed. en *Studi su trove e trocatori della prima lirica ispano-portoghese,* 2.ª ed., Biblioteca di Filologia Romanza, III, Bari, Adriatica, 1959.
— «Arnaut (¿Catalan?) e Alfonso X di Castiglia», *Bolletino del Centro di Studi Filologici e Linguistici Sciliani,* VII, II, 1962.
— «Pero da Ponte e il provenzalismo di Alfonso X», *AION*-SR, III, 1961.
— «Le due laude alfonsine del canzoniere Colocci-Brancuti», en *Romania:* Scritti offerti a Piccolo nel suo LXX compleanno, Nápoles 1962.
— «Sancio I o Alfonso X?», *Studi Romanzi,* XXVI, 1935; reed. en *Studi su trovee trovatori...,* Bari, 1959.
— «Una «cantiga de maldizer» di Alfonso X (B 476)», *Studi Mediolatini e Volgari,* VIII, 1960.
PENA, Xosé Ramón, *Literatura galega medieval,* I *A Historia,* Sotelo Blanco Ediciones, Barcelona, 1986.
PENSADO, José L., «En torno a una cantiga de escarnio del Rey Sabio», *Verba,* I, 1974.
— «Sobre tres pasajes extraños en las *Cantigas de Santa María»,* *Verba* 6 (1979) págs. 17-24.
PÉREZ DE GUZMÁN, Juan, «La biblioteca de consulta de D. Alfonso el Sabio», *La Ilustración Española y Americana,* LXXIX, 1905.
PÉREZ DE URBEL, fray Justo, «Un gallego que nació en Toledo, Rey Sabio y poeta principal», *Estafeta Literaria,* núms. 320-1, 1965.
PÉREZ VILLAMIL, Juan, Orígenes e instituto de la Orden Militar de Santa María de España». Discurso leído (1806) ante la Real Academia de la Historia, BRAH; t. LXXXIV. (1919), págs. 234-252.
PIEL, Joseph M., «Coteifes orpelados, panos d'arrazes e martinhos», *Revista Portuguesa de Filologia,* XIV, 1966-8.
PONCELET, Le P. A., «Index miraculorum B. V. Mariae quae saeculis VI-XV latine conscripta sunt», *Anal. Boll,* XXI, 1902, 241-360.

PROCTER, Evelyn S., *Alfonso X of Castile: Patron of Literature and Learning,* Clarendon Press, Oxford, 1951.
RAMOS, Epifanio, *Las cantigas de escarnio y maldecir de Alfonso X,* Reprografía Alvarellos, Lugo, 1973.
REY, Agapito, «Correspondence of the Spanish Miracles of the Virgin», *Romanic Review,* XIX, 1928.
RIBERA Y TARRAGÓ, Julián, «Valor de la música de las "Cantigas"», Discursos leídos ante S. M. el Rey (23 de noviembre de 1921)... para conmemorar el VII centenario del nacimiento del rey Don Alfonso el Sabio, Madrid, 1921; reed. en *Disertaciones y opúsculos,* II, Maestre, Madrid, 1928.
— *La música de las Cantigas.* Estudio sobre su origen y naturaleza con reproducción fotográfica del texto y transcripción moderna, *RAE,* Madrid.
RICO, Francisco, *Alfonso el Sabio y la General Estoria,* Barcelona, 1972.
RODRIGUES LAPA, Manuel, *Cantigas d'escarnho e del mal dizer dos cancioneiros medievais galego-portugueses,* Galaxia, Vigo, 1965; 2.ª ed., 1970.
SÁNCHEZ ALBORNOZ, Claudio, *España un enigma histórico,* Edit. Suramericana, Buenos Aires, 1971[3], vol. I.
SÁNCHEZ CANTÓN, Francisco, «La vida en España en los tiempos del Rey Sabio», *Arbor,* XIV, 1949.
— «Tres ensayos sobre el arte en las *Cantigas de Santa María* de Alfonso el Sabio», *Museo de Pontevedra,* 1979.
— «Alfonso X y la pintura sobre tabla», *Arch. Esp. de Arte y Arq.,* Madrid, 1954.
— «Seis estampas de la vida segoviana del siglo XIII», *Correo Erudito,* I, 1940.
SÁNCHEZ CASTAÑER Y MENA, Francisco, «La pecadora penitente en el teatro español: Sus fuentes y evolución», tesis no publicada, Univ. de Madrid, 1941.
— «Antecedentes celestinescos en las *Cantigas de Santa María», Mediterráneo:* Guión de Literatura, I, núm. 2, 1943.
SÁNCHEZ PÉREZ, José Augusto, *El culto mariano en España,* Madrid, CSIC, 1943.
SANCHO DE SOPRANIS, Hipólito, «Santa María del Alcázar. Un episodio de la historia entre cristianos y musulmanes,

durante el decenio 1250-60, contado por Alfonso X en las cantigas», *Mauritania,* núms. 218-219, 1946.
— «Los orígenes del culto a Santa María del Puerto, 1255-1500», *Guión,* núms. 16-20, Jerez, 1935.
— *Mariología medieval xericiense,* ed. por M. Ruiz Lagos, Centro de Estudios Históricos Jerezanos, 1973.
— *Historia del Puerto de Santa María desde su incorporación a los dominios cristianos en 1259 a 1800,* Cádiz, 1943.
SEMPERE Y GUARINOS, Juan, *Historia del luxo y de las leyes suntuarias de España,* Madrid, 1788, 2 tomos.
SERRANO FATIGARI, Enrique, *Instrumentos músicos en las miniaturas de los códices españoles* (X-XIII), Discursos leídos ante la Real Academia de Bellas Artes, Madrid, 1901.
SNOW, Joseph T., «The "Loor" to the Virgin and its Appearance in the *Cantigas de Santa María* of Alfonso el Sabio», sin publicar, Univ. de Wisconsin, 1972; extracto en *DAI,* XXXII, 1971-72.
— «Alfonso X y la "Cantiga" 409: un nexo posible con la tradición de la "Danza de la Muerte"», en *Studies in Honor of Lloyd A. Kasten,* Madison, Wisconsin, Hispanic Seminary of Medieval Studies, 1975.
— «Poetic self-Awarenss in Alfonso X's Cantiga 110», *Kentucky Romance Quaterly* 26 (1979) págs. 412-432.
— «The Central röle of the troubadour persona of Alfonso X in the *Cantigas de Santa María», Buletin Hispanish Studies* LVI (1979) págs. 305-316.
— «A Chapter in Alfonso X's personal narrative: the Puerto de Santa María» *La coronica,* VIII (1979) págs. 10-21.
— «Alfonso X y / en sus Cantigas», *Estudios Alfonsíes* edits. J. Mondéjar y J. Montoya, Granada, págs. 71-90.
STURM, Sara, «The Presentation of the Virgin in the *Cantigas de Santa María», Philological Quarterly,* XLIX, 1970.
SUNYOL, P. D. Gregori María, «Cantigues de Montserrat del rei Anfós X, dit «el savi»», *Analecta Montserratensia,* V, 1922 (1924).
TEENSMA, B.N., «Os Judeus na Espanha do século XIII, segundo as *Cantigas de Santa María* de Alfonso V o Sábio», *Occidente,* LXXIX, Lisboa, 1970, versión holandesa en Studia Rosenthaliana, IV, núm. 2, 1970.

TAVANI, Giuseppe, «La cantiga d'escarnho e de mal dicer galego-portoghese», en *Grundriss der romanischen Literaturen des Mittelaters,* vol. IV, Carl Winter, Heidelberg, 1968.
— *Poesía del duecento: Problemi del duecento nella penisola iberica,* Officina Romanica, XII, Ed. dell'Ateneo, Roma, 1969.
— *Repertorio metrico della lirica galego-portoghese,* Officina Romanica, VII, Edizioni dell'Ateneo, Roma 1967.
TORRES FONTES, Juan, «Una cantiga de Alfonso X. El niño de Alcaraz», *Al-Basit:* Revista de estudios albaceteños, 2.ª ser., 5 (1979), págs. 109-203.
VALDEAVELLANO, Luis G. de, *Curso de historia de las Instituciones españolas.* De los orígenes al final de la Edad Media, Revista de Occidente, Madrid, 1975[4].

Cantigas

Prologo

[*Este é o prologo das Cantigas de Santa Maria, ementando as cousas que á mester en o trobar.*]

a^{10} a^{10} a^{10} b^{10} a^{10} b^{10}

α β α γ δ ε

To, f. 9 c
E2, f. 4 c
E1, f. 28 d
Por - que tro - bar é cou - sa en que jaz
en - ten - di - men - to, por - en quen o faz á - o d'a -
ver, et de ra - zon as - saz, per - que en - ten - da et
sa - bia di - zer o que en - tend' e de di - zer lle
praz; ca ben tro - bar as - si s'á de ffa - zer.
1) To

Cantigas en loor de Santa María

1 *

[ESTE É O PROLOGO DAS CANTIGAS DE SANTA MARIA, EMENTANDO AS COUSAS QUE Á MESTER ENO TROBAR]

Porque trobar é cousa en que jaz
entendimento, poren queno faz
á-o d'aver e de razon assaz, 5
per que entenda e sábia dizer
o que entend' e de dizer lle praz,
ca ben trobar assi s'á de ffazer.

E marcar eu estas duas non ey
com' eu querria, pero provarei 10
a mostrar ende un pouco que sei,
confiand' en Deus, ond' o saber ven;
ca per ele tenno que poderei
mostrar do que quero algũa ren.

E o que quero é dizer loor 15
da Virgen, Madre de Nostro Sennor,

NOTA: Seguimos en todo la edición de W. Mettmann, respetando su numeración, aunque en algunos casos no coincida con la distribución de las líneas la edición presente.

* *(E T To)*. Prólogo retórico. Canción sin refrán de seis estrofas singulares: a10 a10 a10 b10 a10 b10. Un esquema métrico semejante lo podemos encontrar en D. Denis (Nunes, *Amor* II, 35). Spanke (H. Anglés III, 1.ª, 209) habla de un «rondeau» libre; en todo caso de melodía no sometida al arte de virelai. Canción de amor a lo divino, provenzalizante.

Santa Maria, que ést' a mellor
cousa que el fez; e por aquest' eu
quero seer oy mais seu trobador,
e rogo-lle que me queira por seu 20

Trobador e que queira meu trobar
reçeber, ca per el quer' eu mostrar
dos miragres que ela fez; e ar
querrei-me leixar de trobar des i
por outra dona, e cuid' a cobrar 25
per esta quant' enas outras perdi.

Ca o amor desta Sen[n]or é tal,
que queno á sempre per i mais val;
e poi-lo gaannad' á, non lle fal,
senon se é per sa grand' ocajon, 30
querendo leixar ben e fazer mal,
ca per esto o perd' e per al non.

Poren dela non me quer' eu partir,
ca sei de pran que, se a ben servir,
que non poderei en seu ben falir 35
de o aver, ca nunca y faliu
quen llo soube con merçee pedir,
ca tal rogo sempr' ela ben oyu.

Onde, lle rogo, se ela quiser,
que lle praza do que dela disser 40
en meus cantares e, se ll'aprouguer,
que me dé gualardon com' ela dá
aos que ama; e queno souber,
por ela mais de grado trobará.

Bibliografía

Valmar, *Extractos,* XVI, I; H. Anglés, III, 1.ª, 209 (Spanke), 241 y 417; Mettmann, I, 102; Filgueira, 7-8; J. Snow, 17, 12, 21, 109, 126, 162, 315, 326, 358, 373; J. Montoya, «O prólogo...» A. Camoens, 279-290.

Vocabulario

2. «entendimento», 'entendimiento' (= 'captación o aprehensión de una idea', 'la mente dirigida hacia una cosa', 'facultad de entender las cosas, compararlas y formar juicios y deducciones').
3. «razón», "razonamiento", 'expresión lógica y ordenada de un pensamiento' («e ajuntando otrossi las partes, fizieron razon e porque por la razon viniessen a entender los saberes et se sopiessen ajudar dellos» *(Crónica General,* 1.ª, *Pr.* 31).
9. «eu», pron. pers. 1.ª p., 'yo'.
14. «ren», 'cosa'.
15. «loor», «dizer loor / da Virgen», 'decir alabanzas de la Virgen' (equivalente a «quer'eu mostrar miragres que ela fez», 'quiero mostrar los milagros que ha hecho').
17. «éste», vb. seer, 3.ª p. del pres. indicativo.
25. «cuido», vb. cuidar, 1.ª pers. sing. del pres. ind. 'pienso'; «cobrar», vb. 'obtener'.
36. «faliu», vb. «falir», 3.ª pers. sing. perf. ind. 'falló'.
37. «soube», vb. saber 3.ª pers. sing. perf. indo. 'supo'.
43. «souber», vd. saber, fut. subj. 'supiere'.

Comentario

Esta es una de las cantigas más interesantes del Cancionero Marial. En ella se pueden entrever criterios retóricos. Para «trovar», dice el autor, es preciso «entendimiento», es decir, captación de una idea, y «asaz de razón», a saber, razonarla o argumentarla, lo que también quiere decir saber distribuirla de tal modo que tenga principio, medio y fin *(exordio).* El poeta, pues, se dispone a mostrar —con la ayuda de Dios— que posee ambas cosas y con este propósito confiesa primero su actitud resuelta de alabar a María narrando sus milagros y suplicando que la celestial dama lo admita como «su» trovador; exalta, en consecuencia, el amor de María como aquél por el que el amante recibe mayor «mérito» y finalmente suplica a «su» dama que no le permita separarse de ella y que le plazca cuanto de ella va a narrar *(cuerpo de la canción)*. Por último pide el «galardón» que ella da a cuantos ama, pues poseyéndolo —en esperanza— cualquiera trovará con mucho más agrado *(súplica)*.

Elementos retóricos dignos de tenerse en cuenta son la 'addubitatio' o perplejidad, la 'confessio' o declaración de inhabilidad y de indignidad, la 'propositio' o declaración de lo que pretende hacer y cómo lo hará y la renuncia de los viejos amores en favor de su único amor, María; como colofón final se encuentra la «supplicatio».

Se trata, pues, de un verdadero prólogo poético en el que se declara lo que se va a hacer y cómo, y se canta y exalta el amor de María como el más digno y distinto al de cualquier otra dama, como se dirá más tarde (núm. 160), y anuncia su propósito de ser trovador de ella narrando sus milagros.

Los motivos que aquí se poetizan serán los que, de modo insistente, aparecerán en diversas cantigas a lo largo del corpus. Así, por ejemplo, Alfonso trovador, en las cantigas números 10, 130, 279; el amor de María que presta dignidad a quien lo posee, la núm. 160; la súplica de que no lo aparte de ella, en las núms. 100, 200, 300 y 400; renuncia de otros amores, las núms. 10, 130', invitación a amar, servir y alabar a María las núms. 120, 290 y 296. Véase también un final con idéntico concepto y casi con las mismas palabras en 401, vv. 98-101.

Versión

/Porque el 'trobar' es algo en lo que subyace entendimiento ('captación de un idea'), requiere en quien lo hace que lo posea y bastante razón ('expresión lógica de lo captado' es decir, captación de su distribución de modo que tenga principio, medio y fin) para que capte y sepa expresar lo que entiende y le agrada ('desea') decir, ya que el buen 'trobar' así se ha de hacer.

Y aunque yo no tengo de estas dos cosas cuanto querría, intentaré, sin embargo, demostrar que sé un poco sobre el particular, confiando en Dios, del que todo saber viene, pues por Él estoy convencido que podré mostraros algo de lo que pretendo.

Y lo que quiero es contar las alabanzas de la Virgen, Madre de nuestro Señor, Santa María, que es la mejor criatura que Él ha hecho; y por este motivo quiero ser de hoy en adelante su trovador y le ruego que me admita como a su trovador, y que quiera recibir mis composiciones, ya que a través de ellas quiero narrar los milagros que Ella hizo, y, por tanto, me querría dejar de trovar desde ahora por otra dama, y pienso que obtendré por Ésta cuanto perdí por las otras.

Pues el amor de esta Señora es tal, que quien lo obtiene consigue con él más valía; y una vez que lo ha obtenido, no le falla, a no ser que, para su perdición, quiera dejar de hacer el bien y haga el mal, ya que por esto sí lo pierde, no por otra cosa.

Por lo tanto no me quiero separar de Ella, pues sé con toda certeza que, de servirla bien, no podré dejar de obtener su bien ('su amor'), pues nunca defraudó a quien se lo supo pedir con piedad, ya que siempre escuchó tal plegaria.

En consecuencia le ruego, que, de querer Ella, le agrade cuanto de Ella diga en mis cantares y, si le pluguiese, me dé el galardón que reserva para los que ama, pues quien lo supiese ('conociere o llegare a conocer') cantará con más agrado para Ella.

[Aquí concluye el prólogo de las *Cantigas de Santa María.]* (códice *T.)*

2*

ESTA É COMO SANTA MARIA FEZ EN ROCAMADOR DECENDER HŨA CANDEA NA VIOLA DO JOGRAR QUE CANTAVA ANT' ELA.

A Virgen Santa María
todos a loar devemos,
cantand' e con alegria, 5
quantos seu ben atendemos.

E por aquest' un miragre / vos direi, de que sabor
averedes poy-l' oirdes, / que fez en Rocamador
a Virgen Santa Maria, / Madre de Nostro Sennor;
ora oyd' o miragre, / e nos contar-vo-lo-emos. 10
A Virgen Santa Maria...

Un jograr, de que seu nome / era Pedro de Sigrar,
que mui ben cantar sabia / e mui mellor violar,
e en toda-las eigrejas / da Virgen que non á par
un seu lais senpre dizia, / per quant' en nos apren
[demos. 15
A Virgen Santa Maria...

---

* *(E 8 T 8 To 8):* Nueve estrofas singulares A7 B7 A7 B7 / n7 c7 n7 c7 n7 c7 n7 b7: Virelai («Las cantigas con refrán de cuatro frases melódicas como la presente son las que más abundan en nuestro repertorio, puesto que llegan a 245» H. Anglés, III, 1.ª, 245). «Melodía de nueva creación, de tomo semipopular.» *(Ibídem),* Huseby, *Ap* 2, 3, 5.

O lais que ele cantava / era da Madre de Deus,
estand' ant' a sa omagen, / chorando dos ollos seus;
e pois diss': «Ai, Groriosa, / se vos prazen estes meus
cantares, hũa candea / nos dade a que cẽemos.» 20
A Virgen Santa Maria...

De com' o jograr cantava / Santa Maria prazer
ouv', e fez-lle na viola / hũa candea decer;
may-lo monge tesoureiro / foi-lla da mão toller,
dizend': «Encantador sodes, / e non vo-la leixa-
[remos.» 25
A Virgen Santa Maria...

Mas o jograr, que na Virgen / tĩia seu coraçon,
non quis leixar seus cantares, / e a candea enton
ar pousou-lle na viola; / mas o frade mui felon
tolleu-lla outra vegada / mais toste ca vos dizemos. 30
A Virgen Santa Maria...

Pois a candea fillada / ouv' aquel monge des i
ao jograr da viola, / foy-a põer ben ali
u x' ant' estav', e atou-a / mui de rrig' e diss' assi:
«Don jograr, se a levardes, / por sabedor vos terre-
[mos.» 35
A Virgen Santa Maria...

O jograr por tod' aquesto / non deu ren, mas violou
como x' ante violava, / e a candea pousou
outra vez ena vyola; / mas o monge lla cuidou
fillar, mas disse-ll' a gente: / «Esto vos non sofre-
[remos.» 40
A Virgen Santa Maria...

Poi-lo monge perfiado / aqueste miragre vyu,
entendeu que muit' errara, / e logo ss' arrepentiu;
e ant' o jograr en terra / se deitou e lle pedyu
perdon por Santa Maria, / en que vos e nos creemos. 45
A Virgen Santa Maria...

Poy-la Virgen groriosa / fez este miragr' atal,
que deu ao jograr dõa / e converteu o negral
monge, dali adeante / cad' an' un grand' estadal
lle trouxe a ssa eigreja / o jograr que dit' avemos 50
A Virgen Santa Maria...

Bibliografía

Valmar, *Extractos* V, 1, H. Anglés, III, 1.ª, 245 y 417, Mettmann, I, 126; Filgueira, 24-25; J. Snow, 74, 124, 150, 154, 212, 258, 364, 366, 375.

Vocabulario

8. «Rocamador», 'Rocamadour', lugar de peregrinación, próximo a Lot (Gourdon), en Francia. La advocación de la Virgen de Rocamador estaba muy difundida por toda Europa, existiendo iglesias dedicadas a su veneración en España.
10. «ora oid' o miragre», fórmula de captación de la atención; a ella corresponde la disposición del autor: «e nos contar-vo-lo-emos».
12. «Pedro de Sigrar», Petrus Iverni de Sigelar, en la versión latina de Hugo Farsito; Pierres de Sygelar en Gautier de Coinci (ed. Koenig, IV, 176) *II Mir.* 21, 16.
13. «cantar... violar», 'cantar... tocar la viola'. G. de Coinci es mucho más explícito y ampuloso en describir las habilidades de este juglar.
15 «seu lais», 'su lai'. Composición lírica dedicada a cantar las alabanzas de María.
20. «hûa candea ... a que cêemos». Corresponde a la costumbre que tenían los juglares de pedir un don. Gautier de Coinci dice expresamente: «Je te requier qu'en guerredon / d'un de ces cierges me fai don ... pour faire feste a non souper» ('te suplico como recompensa una de las velas... para festejarlo cuando cene'). No es de extrañar una petición como ésta en un juglar, sobre todo en un tiempo en que el modo de alumbrarse era

el candil o las velas de sebo. De obtener una de los exvotos se garantizaba una vela de cera buena y además larga, como dice expresamente Gautier de Coinci.

24. «monge tesoureiro», 'monje tesorero o sacristán'. El sacristán era habitualmente el que custodiaba el tesoro de la iglesia.
25. «encantador sodes», 'sois encantador', 'un malabarista'. Gautier de Coinci lo califica de «enchanteres, boutecoroye et tregeteres», 'malabarista, escamoteador y embaucador'. El monje confirma la opinión que la Iglesia solía tener de estos juglares.
34. «mui de rrig(io)», 'muy fuertemente'.
35. «sabedor», 'cuerdo'.
48. «deu... dôa», 'dio... el don' (donativo, gratificación).
48. «o negral monge», 'el monje benedictino' (Gautier de Coinci le concede el nombre Gerars).
49. «grand' estadal», 'cerilla tan larga como la altura de un hombre'. Solía presentarse plegada sobre sí misma varias veces.

Comentario

Valmar *(Extractos,* V, 1) remonta la leyenda a Hugo Farsito (De miraculis Rupi Amatoris, *Pl,* CLXXIX 1777), siglo XII, y recuerda que también se encuentra en Gautier de Coinci *(Les Miracles de Nostre Dame,* IV, 175). Es una de las que nos animan a exaltar a María con nuestros cantos (recordando el consejo paulino de «psallere cum himnis et canticis» *Col.* 3, 16), cuya 'razon' o pensamiento religioso lo confirma. Alfonso X, refiriéndonos la leyenda de Pedro Siglar, juglar que andaba de iglesia en iglesia cantando sus «lais» en honor de Santa María, quien recompensa al juglar tan singularmente, pone en evidencia que la decisión de ser su trovador es una decisión correcta; el juglar, siguiendo una tradición largamente confirmada, solicita como «don» (vv. 20 y 48) una «candela» con la que alumbrarse para la cena.

En efecto, la Virgen hace descender una vela de las que alumbraban en el lampadario y la deposita en la viola con la que se acompañaba el juglar (véase lámina 11, G. Lovillo). El monje sacristán lo denuncia como embaucador y devuelve por dos veces la vela a su sitio, pero insiste el juglar en cantar su «lais» y la vela se posa de nuevo en la viola. Ante esta insistencia el monje reconoce el milagro y pide perdón al juglar. El monje benedictino, convencido, y el juglar, agradecido, rinden gracias a Dios y a Santa María, trayendo este último todos los años un «estadal» como ofrenda.

Versión

Ésta es cómo Santa María hizo descender una candela en la viola del juglar que cantaba ante ella:

Razón: A la Virgen santa María todos alabar debemos con cantos y con alegrías, cuantos su 'bien' atendemos.

Cantar: Por esto os contaré un milagro, que, una vez oído, os agradará y que hizo en Rocamador la Virgen Santa María, Madre de nuestro Señor; ahora oíd el milagro y *Nos* os lo contaremos.

Un juglar, cuyo nombre era Pedro de Siglar, que muy bien sabía tocar la viola y cantar, y que, en todas las iglesias de la Virgen que no tiene igual, siempre cantaba un 'lais' suyo, y según hemos conocido aquel lais que cantaba era sobre las excelencias de la Madre de Dios, y lo hacía en pie ante su imagen y con los ojos llenos de lágrimas; y después dijo: «Ay! Gloriosa, si os placen estos mis cantares, dadnos una vela para que cenemos.»

Santa María se complació en cómo cantaba el juglar, e hizo descender una vela sobre la viola; pero el monje sacristán se la cogió con sus manos, diciendo: «Sois un encantador ('escamoteador') y no os la voy a dejar.» Pero el juglar que quería de corazón a la Virgen, no quiso cesar en sus cantos, y la candela de nuevo se posó en el instrumento; pero el muy felón del fraile se la quitó de nuevo más rápido que el decirlo.

Después que se la arrebató la puso allí donde antes estaba, la ató muy fuertemente y dijo: «Don juglar, si os la lleváis, os tendré por cuerdo.»

El juglar, no importándole nada todo aquello, siguió tocando como antes y la candela se posó de nuevo en la viola; pero al monje, que hizo ademán de cogérsela, la gente le dijo: «No os lo permitiremos.»

Después que el terco monje comprendió este milagro, entendió que había errado mucho, y se arrepintió inmediatamente; y se echó en tierra ante el juglar y le pidió perdón por santa María, en la que *Nos* y vosotros creemos.

Después que la Virgen hizo tal milagro de dar aquel donativo al juglar y de convertir al monje, el juglar que os he referido le llevó todos los años a su iglesia un gran estadal.

3*

ESTA É DE LOOR DE SANTA MARIA, COM' É FREMOSA E BÕA E Á GRAN PODER.

Rosas das rosas e Fror das frores,
Dona das donas, Sennor das sennores.

Rosa de beldad' e de parecer
e Fror d'alegria e de prazer, 5
Dona en mui piadosa seer,
Sennor en toller coitas e doores.
Rosa das rosas e Fror das frores...

Atal Sennor dev' ome muit' amar,
que de todo mal o pode guardar; 10
e pode-ll' os peccados perdõar,
que faz no mundo per maos sabores.
Rosa das rosas e Fror das frores...

Devemo-la muit' amar e servir,
ca punna de nos guardar de falir; 15
des i dos erros nos faz repentir,
que nos fazemos come pecadores.
Rosa das rosas e Fror das frores...

---

* (*E* 10, *T* 10, *To* 10): Cuatro estrofas singulares con mudanza y refrán: A9 A10 / b10 b10 b10 a10. Spanke (en H. Anglés, III, 1.ª, 228) la califica 'cantiga de amor'. Virelai ('con características peculiares', H. Anglés, III, 1.ª, 246).

Esta dona que tenno por Sennor
e de que quero seer trobador, 20
se eu per ren poss' aver seu amor,
dou ao demo os outros amores.
Rosa das rosas e Fror das frores...

Bibliografía

H. Anglés, III, 1.ª, 246 y 417; Valmar, *Extractos,* XVI, 1; Spanke en (H. Anglés, III, 1.ª, 209); Mettman, I, 133; Filgueira, 28-29; J. Snow, núms. 25 bis, 63, 72, 79, 83, 85, 126, 149, 150, 162, 170, 172, 181, 183, 198, 211, 212, 228, 237, 244, 252, 294, 305, 320, 324, 337, 364, 366, 369 bis, 372, 373, 375.

Vocabulario

1. To «Esta dezêa...», variante que confirma el valor simbólico de la decena.
4. «parecer» 'apariencia' (véase en Nunes, *Cantigas de Amor,* XXV, núm. 46 de esta Antología) 20 «bon parecer vosso» 'vuestra bella apariencia') del léxico del amor cortés.
9. «muit'amar», *moz dobre,* que en v. 14 se explicita «amar o servir».
10. «guardar», *moz dobre* (v. 15) con acepción distinta 'proteger' y 'evitar'.
21. «seu amor», 'su amor' es consecuencia del amor y servicio del amante.
22. «dou ao demo», 'doy al demonio', expresión tomada del léxico cortés que sirve para menospreciar los otros amores.

Comentario

Delicada *cantiga de amor* («Gala poética. Galantería caballeresca», denomina Valmar en sus *Extractos,* XVI, 1) con la que empieza a jalonar cada grupo de nueve cantigas de loor de sus milagros y que él introduce con el epígrafe «esta é de loor». Hemos decidido llamarlas decenales, resaltando así el número diez, símbolo de perfección según san Jerónimo. En estas cantigas suelen narrarse los misterios de María, en especial su Maternidad divina, pero no faltan en ellas otros temas como tensones *(CSM,* 260) o debates *(CSM,* 290) bajo la fórmula «Maldito seja ... Beeito seja», que recuerda la correspondiente «Maldit, bendit» de Cerveri de Girona, así como súplicas personales del propio rey (en especial los colofones 100, 200, 300, 400).

En ésta se vuelve sobre el tema de declararse trovador de María a quien todo hombre debe amar y servir, por cuyo motivo Alfonso X la tiene como «Sennor» y renuncia a todo otro amor («dou ao demo os outros amores» v. 22) en tal de obtener el suyo.

Versión

Esta (decena) es de loor de Santa María, de cómo es hermosa, buena y de gran poder.

Razón: Rosa entre rosas, Flor entre flores
Dama entre damas, y Señora entre señores.

Cantar: Rosa de belleza y de apariencia y Flor de alegría y placer, Dama de gran piedad, Señora en consolar y sanar.

A tal Señora el hombre debe amar mucho, pues lo puede proteger de todo mal, y perdonarle los pecados, que comete en este mundo por sus malas inclinaciones. Debémosla mucho amar y servir, pues pugna por evitar que caigamos; y, de caer, nos hace arrepentirnos de los pecados, que cometemos como pecadores.

Esta Dama que tengo como Señora y de quien quiero ser trovador, si yo pudiese obtener en algo su amor, doy al demonio ('desprecio') los otros amores.

20

Esta é de loor de Santa Maria por quantas mercees nos faz.

4*

ESTA É DE LOOR DE SANTA MARIA, POR QUANTAS MERCEDES NOS FAZ.

Virga de Jesse,
quen te soubesse
loar como mereces,
e sen ouvesse 5
per que dissesse
quanto por nos padeces!

Ca tu noit' e dia
senpr' estás rogando
teu Fill', ai Maria, 10
por nos que, andando

---

* (*E* 20, *T* 20, *To* 20) Cuatro coblas doblas: A4 A4 B6 A4 A4 B6 / c5 d5 c5 d5 d4 d4 b6 d4 da b6. La distribución de versos cortos con que se presenta (Mettmann, I, 109) debería revisarse agrupándolos en versos largos de once y dieciséis sílabas según el esquema AA / bbaa (Huseby, *Ap.* 3). Melodía de cantiga nueva, de mucha gracia. Virelai (H. Anglés III, 1.ª, 250, 342 y 417).

Virga de Jesse / quen te soubesse / loar como mereces
e sen ouvesse / per que dissesse / quanto per nos padeces!

Ca tu noit'e dia / sempre'estás rogando
teu Fill', ai Maria, / por nos que, andando
aqui peccando / e mal obrandó— o / que tu muit' avorreces—
non quera, quando / sever julgando, / catar nossas sandeces.

aqui peccando
e mal obrand' — o
que tu muit' avorreces —
non quera, quando 15
sever julgando,
catar nossas sandeces.
Virga de Jesse...

E ar todavia
sempr' estás lidando 20
por nos a perfia
o dem' arrancando,
que, sossacando,
nos vai tentando
con sabores rafeces; 25
mas tu guardando
e anparando
nos vas, poi-lo couseces.
Virga de Jesse...

Miragres fremosos 30
vas por nos fazendo
e maravillosos,
per quant' eu entendo,
e corregendo
muit' e soffrendo, 35
ca non nos escaeces,
e, contendendo,
nos defendendo
do demo, que sterreces.
Virga de Jesse... 40

Aos soberviosos
d'alto vas decendo,
e os omildosos
en onrra crecendo,
e enadendo 45

e provezendo
tan santas grãadeces.
Poren m' acomendo
a ti e rendo,
que os teus non faleces. 50
Virga de Jesse...

Bibliografía

Valmar, *Extractos,* XVI, 1; H. Anglés, III, 1.ª 250; Mettmann, I, 160; Huseby, *Ap.* 3, *Fl. Hisp.*, 99. Filgueira, 47-48. J. Snow, núms. 126, 150, 212, 268, 354, 364, 375.

Vocabulario

1. En *To* «Esta XX.ª ...», 'Esta vigésima...', de nuevo se resalta el múltiplo de diez.
16. «sever», vb. «seer», 'estuviere'.
25. «rafeces», 'viles, de baja calidad', 'de baja ralea'.
36. «escaeces», vb. «escaecer», 'olvidas'.
39. «sterreces», vb. «esterrecer», 'aterras', 'amedrentas' 'ahuyentas'.
42. «decendo», vb. «decer», 'descendiendo', 'abajando'. Recuerda la sentencia evangélica *Lc* 18, 14.
45 y 46. «e enadendo e provezendo» 'y acrecentando y proveyendo'.
48. «m 'acomendo e rendo» 'me encomiendo y someto' (frase procedente del lenguaje feudovasallático, pronto aclimatado al lenguage religioso).

Comentario

Cantiga de alabanza a María por su intercesión constante ante su Hijo, por librarnos del demonio que nos tienta, por los muchos milagros que obra en favor nuestro y por los buenos consejos que nos proporciona, castigando a los soberbios y ensalzando a los humildes.

El refrán acude a un título bíblico con un latinismo «Virga» *(Mt.* 1, 2) de «Jesse» *(Sam.* 16, 1), título muy común en la liturgia, lo que hace sospechar que esta cantiga estuviese construida sobre un antiguo himno litúrgico. Los dos últimos versos es una súplica con fórmula feudo-vasallática: «acomendo a Ti e rendo», poniéndose confiadamente bajo la protección de María.

Versión

Esta (vigésima) es de loor de Santa María por todas las gracias que nos concede.

Razón: Vara de Jessé, ¡quién te supiese alabar como mereces
y tuviese inteligencia para decir cuanto padeces por nosotros!

Cantar: Pues Tú, ¡oh María! siempre estás rogando, noche y día, por nosotros para que, pues caminamos aquí pecando y obrando el mal —lo que Tú mucho detestas— tu Hijo no quiera, en el momento del Juicio, tener en cuenta nuestros extravíos.

Y mucho más, siempre estás porfiando por apartarnos del demonio quien, sonsacándonos, nos tienta constantemente con los viles placeres; pero Tú nos proteges y nos amparas y a él lo ahuyentas. Estás operando por nosotros hermosos y prodigiosos milagros, a mi entender, y corrigiéndonos y pacientemente soportándonos, jamás nos olvidas, y, porfiando, nos defiendes del demonio a quien atemorizas.

Y abajando a los soberbios de lo alto y elevando en dignidad a los humildes, acrecentando y proveyéndolos de tus santos dones.

Por lo tanto, a Ti me encomiendo y me someto, pues no les fallas a los tuyos.

5*

ESTA É COMO SANTA MARIA FEZ PARECER NAS PEDRAS OMAGẼES A SSA SEMELLANÇA.

Nas mentes senpre tẽer
devemo-las sas feituras
da Virgen, pois receber 5
as foron as pedras duras.

Per quant' eu dizer oý
a muitos que foron y,
na santa Gessemani
foron achadas figuras 10
da Madre de Deus, assi
que non foron de pinturas.
Nas mentes sempre tẽer...

Nen ar entalladas non
foron, se Deus me perdon, 15
e avia y fayçon
da Sennor das aposturas
con sseu Fill', e por razon
feitas ben per sas mesuras.
Nas mentes sempre tẽer... 20

---

* *(E* 29 *T* 29 *To* 29) Cantiga de cuatro coblas singulares con refrán mudanza y vuelta. Huseby (Ap. 5, 2 y 3) recomienda sean recompuestos sus versos heptasílabos A7 B7 A7 B7 / c7 c7 c7 b7 c7 b7 en versos de 14 sílabas según el esquema AA / baa. Virelai.

Poren as resprandecer
fez tan muit' e parecer,
per que devemos creer
que é Sennor das naturas,
que nas cousas á poder 25
de fazer craras d' escuras.
Nas mentes sempre tẽer...

Deus x' as quise figurar
en pedra por nos mostrar
que a ssa Madre onrrar 30
deven todas creaturas,
pois deceu carne fillar
en ela das sas alturas.
Nas mentes sempre tẽer...

Bibliografía

H. Anglés, III, 1.ª 253 (cita a W. Woira, quien recuerda una leyenda semejante de Johan de Garlandia, así como el *Cancionero de palacio,* núm. 61, hace pensar en esta cantiga); Valmar, *Extractos,* XIII, 1; Mettmann, I, 188; Filgueira, 62; J. Snow, núms. 41, 124, 212, 315, 353, Fita (Gil de Zamora, 16), *BRAH,* VII, 90.

Vocabulario

1. En To «Esta XXIX es como ...».
4. «feituras», 'fisonomía, facciones del rostro', 'trazos corporales' (imágenes).
16. «fayçon» 'aspecto'; «aposturas», 'gentilezas', 'elegancias'.
17. «per razon» (opuesto a «sen razon») 'con motivo'.
24. «Sennor das naturas», 'Señor de las criaturas'.

Comentario

Es una de las típicas cantigas que exaltan el culto a las imágenes de María. El problema de las imágenes en Oriente

(Iconoclastia) se había superado, pero no faltan testimonios de exaltación de las imágenes en los Milagros de la Virgen que recuerdan la época de los iconoclastas.

En este caso el poeta nos narra la aparición en Getsemaní de una imagen de María, ni pintada ni tallada por manos de hombre. Todo ello mostraba que Dios, Señor de la naturaleza, había moldeado aquellas piedras con la figura de María y, además, confirmaba que se debe honrar a María, su Madre, en sus imágenes.

La Lámina 34 (G. Lovillo, 278) nos narra el milagro con un primer recuadro que nos muestra al Rey en actitud de narrador o trovador *(Vid.* Ana Domínguez, «Imágenes de un rey trovador de Santa María», en *Il Medio Oriente e l'Occidente nell Arte del XII secolo,* a cura de Hans Belting, Bologna, 1982, 229-239), pasando inmediatamente a una escena de veneración de las imágenes (dos grabadas en sendas pilastras) en un marco distinto al que cobija al Rey, posiblemente oriental por el esquematismo de múltiples minaretes. En el cuadro cuarto se presenta la figura de Cristo tallando o cuidando del mantenimiento de la imagen, mientras en los últimos cuadros se nos muestra a María «Sennor das naturas» (María rodeada de animales exóticos; éstos en actitud de adoración) y un bello cuadro de la anunciación de María *(Vid.* Ana Domínguez, «Iconografía...», 39), con el esquema de un típico patio andaluz en el centro. En la parte superior de este cuadro hay un rompimiento donde aparece la imagen de Jesús niño relacionada con María a través de unos rayos de luz.

Versión

Ésta (XXIX) es cómo Santa María hizo aparecer en unas piedras unas figuras según su semejanza.

Razón: En las mentes todos debemos grabar la imagen
de la Virgen, pues piedras duras la grabaron en sí.

Cantar: Según oí contar a hombres que estuvieron en Getsemaní, allí se encontraron unas figuras de la Madre de Dios, que no habían sido pintadas ni talladas, así Dios me perdone, y tenían el aspecto (las facciones) de la Señora de toda gentileza con su Hijo, y hechas a medida.

Tanto las hizo resplandecer y aparecer quien todos debemos creer que es el Señor de las criaturas, y que en las cosas tiene poder de hacer claridad de la oscuridad. Dios las quiso figurar en la piedra para mostrarnos que las criaturas deben todas honrar a su Madre, pues descendió de las Alturas para tomar carne en Ella.

6*

ESTA É COMO SANTA MARIA AMẼAÇOU O BISPO QUE DESCOMUNGOU O CRERIGO QUE NON SABIA DIZER OUTRA MISSA SENON A SUA.

Quen loar podia,
com' ela querria,
a Madre de quen 5
o mundo fez,
seria de bon sen.

Dest' un gran miragre / vos contarei ora,
que santa Maria / fez, que por nos ora, 10
dũu que al, fora
a ssa missa, ora-
çon nunca per ren
outra sabia
dizer mal nen ben. 15
Quen loar podia...

---

* *(E* 32 *T* 32 *To* 34). Seis coblas singulares: A5 A5 B5 N4 B6 / n5 c5 n5 c5 c5 c5 b5 a4 b5. La edición de esta cantiga debería presentarse en versos largos con rima interna y cesura según el esquema AA/bbaa:

Quen loar podía / com'ela querria / a Madre de quen
o mundo fez, / seria de bon sen.

Dest' un gran miragre / vos contarei ora,
que santa Maria / fez, que por nos ora,
dũu que al, fora / a ssa missa missa, / oraçon nunca per /
ren outra sabia / dizer mal nen ben.

Onde ao Bispo / daquele bispado
en que el morava / foi end' acusado;
e ant' el chamado
e enpreguntado 20
foy, se era ren
o que oya
del. Respos: «O ben.»
Quen loar podia...

Poi-lo Bispo soube / per el a verdade, 25
mandou-lle tan toste / mui sen piedade
que a vezindade
leixas' da cidade
tost' e sen desden,
e que ssa via 30
logo sse foss' en.
Quen loar podia...

Aquela noit' ouve / o Bispo veuda
a Santa Maria / con cara sannuda,
dizendo-lle: «Muda 35
a muit' atrevuda
sentença, ca ten
que gran folia
fezist'. E poren
Quen loar podia... 40

Te dig' e ti mando / que destas perfias
te quites; e se non, / d' oj' a trinta dias
morte prenderias
e alá yrias
u dem' os seus ten 45
na ssa baylia,
ond' ome non ven.»
Quen loar podia...

O Bispo levou-sse / mui de madurgada,
e deu ao preste / ssa raçon dobrada. 50
«E missa cantada
com' acostumada
ás,» disse, «manten
da que nos guia,
ca assi conven.» 55
Quen loar podia...

Bibliografía

Valmar, *Extractos,* V, 3; H. Anglés, III, 1.ª, 254; Mettmann, I, 193; Filgueira, 65-66; J. Snow, núms. 25 bis, 41, 72, 124, 154, 256, 363; Gil de Zamora, 17 (Fita *BRAH,* VI, 91).

Vocabulario

19. «chamado e empreguntado foy». Los juicios en la Edad Media eran declaratorios de la propia culpabilidad, de ahí que el clerigo se tuviera que declarar culpable.
21. «se era ren», 'si era exacto'.
23. «O ben» («oc be», prov. adv. afirm. 'si'), 'sí, en efecto'.
27. «a vezindade», la vecindad de la ciudad derivaba del nacimiento o de la habitación en ella durante un tiempo y suponía para el vecino la protección del fuero local y el disfrute de los bienes comunales, amén de otros.
36. «cara sannuda», 'cara airada'. Aparece aquí la 'saña' de María quien, al igual que los monarcas españoles, ejerce la «ira regia» y amenaza al Obispo con la condenación eterna de no restituir a su siervo al antiguo estado de su capellanía.
36. «baylía» era una circunscripción económico-financiera, al frente de la cual había un «Bayle general». Aquí, por metonimia, 'dominio'.
50. «ssa raçon dobrada» 'su ración doblada' (Ración, 'participación o porción' correspondiente en los bienes del Obispado).

Comentario

Uno de los milagros más difundidos por Europa. Poncelet (*Index*, 40) recoge muchas narraciones latinas con un contenido igual o semejante. Gautier de Coinci (*I Mir* 14) y Berceo (núm. IX) también se hacen eco de esta leyenda. Se trata de la defensa de un clérigo simple que no sabía cantar otra misa que la de Santa María. El Obispo —ante quien se había presentado la correspondiente denuncia— lo destierra de su Obispado (en otras versiones lo suspende *a divinis*), pero María se aparece en visión al Obispo durante la noche y le amenaza que si no restituye en su puesto al clérigo morirá en treinta días. El Obispo asustado llama al clérigo y le dice que continúe cantando la misa común de Santa María, como acostumbraba.

Hay en la versión de esta leyenda un conflicto de competencias entre María y el Obispo. Éste ejerce la suya expulsando de su diócesis a quien dolosamente, quizá, se ha hecho ordenar sin conocer suficientemente el latín y sólo cantaba la misa común de Santa María («Salve Sancta Parens») por ser una de las más cortas y fácil de aprender de memoria; María sale en favor de uno de sus siervos cuya alabanza constantemente recibía. María ejerce lo que en el derecho medieval se conocía como la «ira regia», amenazando al Obispo con la condenación eterna si no restituye a su antiguo estado al siervo de María y el prelado, no contento con devolverle su «ración», le promete que ésta será doblada.

Versión

Ésta es cómo Santa María amenazó a un Obispo que excomulgó a un clérigo que no sabía decir otra misa sino la suya.

Razón: Quien pudiese alabar como ella querría
a la madre de quien hizo el mundo, sensato sería.

Cantar: Sobre esto os diré un milagro que hizo Santa María, nuestra intercesora, en favor de uno que ninguna otra oración sabía, excepto su misa.

Por lo cual fue acusado al Obispo de aquel obispado en el

que moraba, y llamado e interrogado si era verdad lo que de él oía, respondió: «Sí, ciertamente.»

Después que el Obispo supo la verdad mandóle sin piedad que inmediatamente dejase la vecindad de la ciudad sin protesta alguna y se fuese inmediatamente.

Aquella noche el Obispo vio en visión a Santa María con cara airada que le decía: «Cambia tu atrevida sentencia, pues ten por seguro que cometiste gran insensatez. Y en consecuencia te digo y te ordeno que desistas de tanta perfidia; y de no hacerlo, de hoy en treinta días morirás e irás allí donde el demonio tiene sus dominios, de donde el hombre no regresa.

El Obispo levantóse muy de madrugada, y le concedió al clérigo su ración doblada. «Y permanece —dijo— cantando como acostumbras la misa de quien nos guía, pues así conviene.»

7*

ESTA É COMO SANTA MARIA FEZ COBRAR SEU PEE AO OME QUE O TALLARA CON COYTA DE DOOR.

Miragres fremosos
faz por nos Santa Maria,
e maravillosos. 5

Fremosos miragres faz que en Deus creamos,
e maravillosos, por que o mais temamos;
porend' un daquestes é ben que vos digamos,
dos mais piadosos.
Miragres fremosos... 10

Est' avẽo na terra que chaman Berria,
dun ome coytado a que o pe ardia,
e na ssa eigreja ant' o altar jazia
entr' outros coitosos.
Miragres fremosos... 15

---

* *(E* 37 *T* 37 *To* 39). Ocho coblas singulares con refrán: A5 N7 A5 / b12 b12 b12 a5. Llaman la atención sobre esta cantiga Spanke (en H. Ánglés, III, 1.ª, 233) y Huseby (Ap. 2 y 6) quien recomienda el esquema AA / bbba y la califica de Virelai en sentido amplio:

Miragres fremosos
faz por nos santa Maria / e maravillosos
Fremosos miragres faz que en Deus creamos
e maravillosos, por que o mais tenamos;
porend'un daquestes é ben que vos digamos,
dos mais piadosos.

Aquel mal do fogo atanto o coytava,
que con coita dele o pe tallar mandava;
e depois eno conto dos çopos ficava,
deses mais astrosos,
Miragres fremosos... 20

Pero con tod' esto sempr' ele confiando
en Santa Maria e mercee chamando
que dos seus miragres en el fosse mostrando
non dos vagarosos,
Miragres fremosos... 25

E dizendo: «Ay, Virgen, tu que es escudo
sempre dos coitados, queras que acorrudo
seja per ti; se non, serei oi mais tẽudo
por dos mais nojosos.»
Miragres fremosos... 30

Logo a Santa Virgen a el en dormindo
per aquel pe a mão yndo e vĩindo
trouxe muitas vezes, e de carne conprindo
con dedos nerviosos.
Miragres fremosos... 35

E quando s' espertou, sentiu-sse mui ben são,
e catou o pe; e pois foi del ben certão,
non semellou log', andando per esse chão,
dos mais preguiçosos.
Miragres fremosos... 40

Quantos aquest' oyron, log' ali vẽeron
e aa Virgen santa graças ende deron,
e os seus miragres ontr' os outros teveron
por mais groriosos.
Miragres fremosos... 45

Bibliografía

Valmar, *Extractos,* XIV, 1; H. Anglés, III, 1.ª, 256 y 417; Mettmann, I, 209; Filgueira, 74; J. Snow, 41, 124, 154. Gil de Zamora, 21 (Fita, *BRAH, VII,* 97).

Vocabulario

11. «Berria», 'Viviers' (Francia), según F. Fita corrupción de «Vivaria».
18. «conto», 'número'.
18. «çopos», 'cojos' ('zambos').
24. «vagorosos», 'lentos'.
29. «nojosos», 'repugnantes'.
39. «preguiçosos», 'perezosos', 'lentos', 'tardíos'.

Comentario

La cantiga trata de un hombre que sufría «el mal de los ardientes» una especie de gangrena que comenzaba como una mancha negra y con unos dolores horribles; los músculos primero se retraían y finalmente se desecaban. Algunos enfermos atacados por el «fuego de San Antonio» perdían alguno de sus pies en el trayecto hacia el hospital. En el siglo XVIII François Quesnay atribuyó su causa a la ingestión de un centeno estropeado *(Marcel Sendrail,* 236-237).

En nuestro caso el dolor era tan grande que el pobre hombre mandó que le cortaran el pie, entrando así en el número de los más desgraciados: los cojos. No obstante, confiando en el poder de María, la invocó y durante la noche, mientras dormía, María pasó sus manos una y otra vez sobre su muñón hasta completarlo. Una vez despierto, y consciente de que de nuevo tenía su pie y sano, comenzó a dar saltos (Véase G. Lovillo, *Lámina* 43).

F. Fita da una explicación curiosa a la confusión del copista que transcribiría Vivaria como Virria o Verria, de ahí el Berria de la cantiga.

Versión

Ésta es de cómo Santa María hizo recuperar el pie al hombre que a causa del dolor se lo había cortado.

Razón: Hermosos y maravillosos milagros hace por nosotros Santa María.

Cantar: Hermosos milagros hace para que en Dios creamos, y admirables, para que más le temamos; por eso conviene que os digamos uno de los más piadosos.

Éste sucedió en una tierra que llaman Berria, a un hombre angustiado cuyo pie ardía, y ante el altar de su iglesia yacía entre otros enfermos. Aquel fuego tanto lo atormentaba que por su causa mandó que le cortaran el pie; y así después de esto entraba en el número de los cojos, los más despreciables; pero a pesar de ello, confiando siempre en Santa María y suplicando su misericordia para que mostrase uno de sus rápidos milagros, no de los lentos, le decía: «¡Ay!, Virgen, Tú que eres el escudo de los débiles, querrás que sea de tus socorridos; si no, desde hoy seré tenido por uno de los despreciados.»

Inmediatamente la Virgen, mientras dormía (el enfermo) pasó una y otra vez la mano por el muñón, llenándolo de carne, de dedos y de nervios.

Cuando se despertó, el enfermo se sintió sano y miró el pie; y después que se cercioró (de su pie curado), comenzó a andar por el llano, no a la manera de los lentos (cojos).

Cuantos oyeron esto y luego lo vieron, dieron inmediatamente gracias a la Virgen, y tuvieron este milagro como uno de los más celebrados.

8*

ESTA É COMO SANTA MARIA GUARECEU O QUE ERA SANDEU.

A Virgen, Madre de Nostro Sennor,
ben pode dar seu siso
ao sandeu, pois ao pecador
faz aver Parayso. 5

En Seixons fez a Garin cambiador
a Virgen, Madre de Nostro Sennor,
que tant' ouve de o tirar sabor
a Virgen, Madre de Nostro Sennor,
do poder do demo, ca de pavor 10
del perdera o siso;
mas ela tolleu-ll' aquesta door
e deu-lle Parayso.
A Virgen, Madre de Nostro Sennor...

Gran ben lle fez en est' e grand' amor 15
a Virgen, Madre de Nostro Sennor,

---

* *(E* 41 *T* 41 *To* 41). Tres coblas unisonantes: A10 B6 A10 B6 / a10 A10 a10 A10 a10 b6 a10 b6. Huseby (Ap. 2, 3 y 5) es partidario de ajustar a versos largos con rima interna el refrán y la vuelta según el esquema AA / bbbbaa. El que se repita el verso primero (o primer hemistiquio, en el supuesto de Huseby) hizo pensar a H. Anglés (III, 1.ª, 257) que se trataba de un «rondeau» (rondel). Virelai, *Parayso,* palabra rima.

que o livrou do dem' enganador,
a Virgen, Madre de Nostro Sennor,
que o fillara come traedor
e tollera-ll' o siso; 20
mas cobrou-llo ela, e por mellor
ar deu-lle Parayso.
A Virgen, Madre de Nostro Sennor...

Loada será mentr' o mundo for
a Virgen, Madre de Nostro Sennor, 25
de poder, de bondad' e de valor,
a Virgen, Madre de Nostro Sennor,
porque a ssa mercee é mui mayor
ca o nosso mal siso,
e sempre a seu Fill' é rogador 30
que nos dé Parayso.
A Virgen, Madre de Nostro Sennor...

Bibliografía

Valmar, *Extractos,* XIV; 1; H. Anglés, III, 1.ª, 257; Mettmann, I, 219; Filgueira, 79, J. Snow, núms. 83, 124, 212; Gil de Zamora, 13 (Fita, *BRAH,* VII, 99).

Vocabulario

6. «Seixons, 'Soissons' (Francia).
«Garin», nombre relacionado con las gestas francesas.
«cambiador», 'cambista'.

Comentario

Es uno de los milagros recogidos por Hugo Farsito en su *De miraculis B. M. in urbe Suesionensi* (XVII). Las miniaturas narran mucho más que la cantiga, la cual se reduce a una invitación a la alabanza de Nuestra Señora que hizo recuperar la cordura a un loco, y, de poseso del diablo, lo transformó en habitante del Paraíso.

La *Lámina* 46 (G. Lovillo) sigue más de cerca la narración latina y nos describe al beneficiario del milagro como un cambista (pequeño banquero) que es visitado por los demonios y, como consecuencia del terror que su visión le produce, enloquece.

Las miniaturas centrales representan al loco rapado y atado fuertemente a una columna de la iglesia. María, asistida de un ángel, posa una mano sobre su mente y lo cura devolviéndole la cordura. Las dos de abajo describen la muerte de Garín rodeado de sus familiares y la entrada en el Paraíso por ruegos de María.

Era costumbre pensar que Satán solía hacer perder la razón a aquellos de quienes se apoderaba *(Sendrail,* 311). En nuestro caso la locura se vincula a un hombre cambista, cuando la redacción latina no hace mención de su condición profesional, sino sólo de su robustez corporal y de su riqueza. En el fondo de la narración late la sentencia evangélica de que nadie puede servir a dos señores: a Dios y al diablo *(Lc.* 16, 13).

Versión

Ésta es cómo Santa María curó a un loco.

Razón: La Virgen, Madre de Nuestro Señor, bien puede dar su sentido al loco, pues al pecador le hizo obtener el Paraíso.

Cantar: En Soissons hizo esto a Garín, el cambista, la Virgen, Madre de nuestro Señor, que tuvo tan gran placer de librarlo del poder del demonio, ya que del terror que él le produjo perdió el sentido; pero Ella lo libró de este mal y le dio el Paraíso.

Gran bien le hizo con esto y gran bondad la Virgen, Madre de Nuestro Señor, pues lo libró del demonio embaucador, que lo cogió como un traidor y le arrebató el sentido, pero Ella se lo hizo recobrar, y como algo mejor le dio el Paraíso.

Sea alabada, por tanto, mientras el mundo exista, la Virgen, Madre de Nuestro Señor, porque sus favores son mucho mayores que nuestra mala voluntad y siempre está rogando para que se nos dé el Paraíso.

9*

ESTA É DE COMO SANTA MARIA GUARYU CON SEU LEITE O MONGE DOENTE QUE CUIDAVAN QUE ERA MORTO.

Toda saude da Santa Reÿa...
ven, ca ela é nossa meezÿa.

Ca pero avemos enfermidades 5
que merecemos per nossas maldades,
atan muitas son as sas piedades,
que sa vertude nos acorr' agÿa.
Toda saude da Santa Reÿa...

Dest' un miragre me vẽo emente 10
que vos direi ora, ay, bõa gente,
que fez a Virgen por un seu sergente,
monge branco com' estes da Espÿa.
Toda saude da Santa Reÿa...

Est' era sisudo e leterado 15
e omildoso e ben ordinnado,
e a Santa Maria todo dado,
sen tod' orgullo e sen louçaÿa
Toda saude da Santa Reÿa...

---

* *(E* 54 *T* 54 *To* 69). Quince estrofas singulares con vuelta y refrán, propia de un Virelai A10 A10 / b10 b10 b10 a10.

E tal sabor de a servir avia 20
que, poi-lo convent' as oras dizia,
ele fazend' oraçon remania
en hũa capela mui pequeñĩa;
Toda saude da Santa Reỹa...

E dizia prima, terça e sesta 25
e nõa e vesperas, e tal festa
fazia sempre baixada a testa,
e pois completas e a ledanĩa.
Toda saude da Santa Reỹa...

E vivend' en aquesta santidade, 30
ena garganta ouv' enfermidade
tan maa que, com' aprix en verdade,
peyor cheirava que a caavrỹa.
Toda saude da Santa Reỹa...

Ca o rostr' e a garganta ll' enchara 35
e o coiro fendera-ss' e britara,
de maneira que atal se parara
que non podia trocir a taulĩa.
Toda saude da Santa Reỹa...

Os frades, que cuidavan que mort' era, 40
porque un dia sen fala jouvera,
cada un deles de grado quisera
que o ongessen como convĩia.
Toda saude da Santa Reỹa...

E porend' o capeyron lle deitaron 45
sobelos ollos, porque ben cuidaron
que era mort', e torna-lo mandaron
a ourient' onde o sol vĩia.
Toda saude da Santa Reỹa...

E u el en tan gran coita jazia 50
que ja ren non falava nen oya,
vee-lo vẽo a Virgen Maria,
e con hua toalla que tĩia.
Toda saude da Santa Reỹa...

Tergeu-ll' as chagas ond' el era chẽo; 55
e pois tirou a ssa teta do sẽo
santa, con que criou aquel que vẽo
por nos fillar nossa carne mesquỹa.
Toda saude da Santa Reỹa...

E deitou-lle na boca e na cara 60
do seu leite. E tornou-lla tan crara,
que semellava que todo mudara
como muda penas a andorỹa.
Toda saude da Santa Reỹa...

E disse-lle; «Por esto vin, irmão, 65
que ti acorress' e te fezesse são;
e quando morreres, sei ben certão
que irás u é Santa Catelỹa.»
Toda saude da Santa Reỹa...

Pois esto dit' ouve, foi-ss'. E mui cedo 70
se levantou o monge; e gran medo
ouveron os outros, e quedo, quedo
foron tanger hũa ssa canpaỹa,
Toda saude da Santa Reỹa...

A que logo todos foron juntados 75
e deste miragre maravillados,
e a Santa Maria muitos dados
loores, a Estrella Madodĩa.
Toda saude da Santa Reỹa...

Bibliografía

Valmar, *Extractos,* XIV, 1; H. Anglés, III, 1.ª, 261; Mettmann, I, 254; Filgueira, 100, J. Snow, núms. 34, 41, 124, 135, 154, 212, 214; Fita, *BRAH,* VII, 110 (núm. 29).

Vocabulario

12. «un seu sergente», 'un siervo suyo'.
13. «monge branco», 'monje blanco' (así eran reconocidos los monjes cirtescienses) «com'estes de Espŷa», 'como estos de la Espina' (Nuestra Señora de la Espina, Valladolid).
15-18. Descripción del ideal monástico.
25-28. Descripción del Oficio Divino.
33. «cheirava», 'olía'.
«caavrŷa», 'cadaver' *(Vid.* M. Alvar, *Berceo,* 94-95 [1978], 7-15).
38. «taulĩa», 'papilla' *(Vid.* J. L. Pensado, *Verba,* 6 [1979], 35-36).
42. «ongossen», 'ungiesen' (alusión a la unción de los enfermos antes de morir).
45. «capeyron», 'caperuzón'.
48. «a Oriente» (reminiscencia de costumbres islámicas. *Vid.* Ribera, «Honras fúnebres islámicas...», *Disertaciones).*
64. «a andorŷa», 'la golondrina'.
73. «campaŷa», 'campanilla'.
78. «Estrela Madonina», 'Estrella Matutina'.

Comentario

Cantiga que exalta a María como salud de los enfermos. En este caso se trata de un monje cisterciense, devoto de María, afectado por una grave enfermedad en la garganta que le impedía dedicarse a su devoción favorita, el canto del Oficio divino, y que hizo temer a sus compañeros por su muerte.

Amortajado ya, los frailes lo pusieron orientado hacia

Oriente —reminiscencia de costumbres islámicas (*Vid.* Ribera, «Honras fúnebres islámicas...», *Disertaciones,* 248) — esperando poder enterrarlo.

Entre tanto María se le aparece y con una toalla le limpia cuidadosamente las llagas y derrama sobre ellas leche procedente de sus pechos, operándose una gran transformación de su boca y de su cara, negruzcas y malolientes hasta ese momento.

Sano de su enfermedad, el buen monje se incorpora y comenta a sus correligionarios la visión y el milagro.

Versión

Ésta es cómo Santa María curó con su leche a un monje enfermo que todos pensaban que había muerto.

Razón: Toda salud procede de Santa María
pues es Ella nuesta medicina.

Cantar: A pesar de que tenemos enfermedades que por nuestros pecados merecemos, tan grande es su piedad que su poder nos socorre enseguida.

Acerca de esto un milagro me vino in mente que ahora os contaré, ¡ah!, buena gente, que hizo la Virgen a un servidor suyo, monje blanco como los de la Espina.

Éste era sesudo y letrado y humilde y ordenado, dado todo él a Santa María, sin ningún orgullo y sin altivez alguna. Y experimentaba tanto placer en servirla que, después que el convento decía las horas, él permanecía haciendo oración en una capilla muy pequeñita. Y decía prima, tercia y sexta y nona y víspera, y toda esta liturgia la hacía siempre baja la cabeza, y después completas y la letanía.

Y viviendo de esta manera tan santa adquirió una enfermedad en la garganta tan mala que, según supe, apestaba más que un cadáver. Pues el rostro y la garganta se le habían hinchado y agrietado y se le caía de tal manera, que había quedado que no podía comer ni papilla.

Los monjes, que pensaban que había muerto al quedar sin habla un día, pidieron todos que se le ungiese según mandaba la Regla, y, por lo tanto, le echaron el caperuzón sobre los ojos, porque pensaron que ya había muerto, y mandaron volverlo hacia Oriente, de donde el sol sale.

Y cuando él yacía en tal angustia, que ni hablaba, ni oía, vino la Virgen a verlo con una toalla en la mano. Le limpió las llagas de las que estaba lleno y después sacó su santa teta del seno, aquella con la que crió a aquel que quiso tomar nuestra carne miserable, y derramó su leche en la boca y en la cara. Y volviósele tan limpia que parecía que había mudado todo, como muda sus plumas la golondrina, y le dijo: «para esto he venido, hermano, para socorrerte y sanarte; y cuando mueras estate seguro que irás allí donde está santa Catalina». Una vez dicho esto, se fue. E inmediatamente se levantó el monje; y los otros tuvieron gran miedo y poco a poco se repusieron y comenzaron a tocar la campanilla, para que todos se reuniesen, y maravillados por este milagro, diesen muchos loores a Santa María, la Estrella Matutina.

10*

ESTA É DE LOOR DE SANTA MARIA, DO DEPARTIMENTO QUE Á ENTRE AVE E EVA.

Entre Av' e Eva
gran departiment' á.

Ca Eva nos tolleu 5
o Parays' e Deus,
Ave nos y meteu;
porend', amigos meus:
Entre Av' e Eva...

Eva nos foi deitar 10
do dem' en sa prijon,
e Ave en sacar;
e por esta razon:
Entre Av' e Eva...

Eva nos fez perder 15
amor de Deus e ben,

---

* (*E* 60 *T* 60 *To* 70). Cuatro coblas singulares con refrán A6 A6 / b6 c6 b6 c6. Spanke (en H. Anglés, III, 1.ª, 210) considera la posibilidad de reducir los versos de la cantiga. También Huseby opina que es una de las composiciones, distintas del virelai, con rima interna y según el esquema A / bb (Ap. 1). H. Anglés, siguiendo a Spanke, la califica de balada.

e pois Ave aver
no-lo fez; e poren:
Entre Av' e Eva...

Eva nos ensserrou 20
os çeos sen chave,
e Maria britou
as portas per Ave.
Entre Av' e Eva...

Bibliografía

Valmar, *Extractos,* XVI, 2; H. Anglés, 210, 264, y 418; Mettmann, I, 273; Filgueira, 110; J. Snow, núms. 55, 71, 82, 96, 109, 212, 266, 312, 313, 315, 324, 341, 354.

Vocabulario

1. En *T* «sta é loor de santa María das cinco leteras que a no seu nome e que queren dizer». En *To* «Esta LXX.ª e de».

El título de T no corresponde al contenido de esta cantiga. Se trata más bien de una paranomasia (Ave / Eva), en la que se juega con verbos opuestos: tolleu / meteu, deitar / sacar, perder / aver, enserrou / britou. El nombre de María tiene cinco letras y corresponderían por tanto cinco estrofas. Hay, sin duda, una confusión con la núm. 70 que glosará las cinco letras del nombre de María.

Comentario

Ya Valmar señaló la paranomasia existente en esta cantiga, procedimiento retórico muy utilizado entre los poetas mediolatinos y románicos que tratan el tema mariano. Gautier de Coinci *(Vid. I Prol.* 1, 171-175) acude a igual comparación de Eva y María, como también otros autores medievales. Filgueira recuerda el «Ave Maris Stella» de Venancio Fortunato.

La comparación es muy común en la literatura cristiana; véase, por ejemplo,

> Eva prius interemit,
> Sed Maria nos redemit
> Mediante Filio.
> Prima parens nobis luctum,
> Sed secunda vite frutum
> Protulit cum gaudio
> [atribuida a Adam de San Victor. (*VV*. pág. 52)].

Ana Domínguez («Iconografía evangélica en las *CSM*», en *Reales Sitios,* núm. 80 [1984], 37-55) incluye la *Lámina* 67 (G. Lovillo) en su comentario sobre la Anunciación. En realidad, si leemos los epígrafes que presiden las miniaturas, lo que se quiere resaltar es la acción de Eva y de María, la nueva Eva: la una es causa de la expulsión del antiguo Paraíso, mientras la otra nos facilita la entrada al nuevo Paraíso, el cielo. Eva cierra las puertas del cielo; María las abre en el momento del Ave (la salutación angélica). Esta es una de las muchas cantigas decenales que tratan de exaltar la Anunciación (Véanse *Cant, E* núms. 1, 29, 140, 160, 180).

Versión

Ésta es de loor de Santa María, de la distancia que hay entre Ave y Eva.

Razón: Entre Ave y Eva hay una gran diferencia.

Cantar: Pues si Eva nos arrebató el Paraíso y a Dios, con el Ave (María) nos lo dio; por lo tanto, amigos míos: Eva nos echó en la prisión del demonio, y el Ave nos sacó de ella; y por este motivo: Eva nos hizo perder el amor y la gracia de Dios, y el Ave nos hizo recobrar; y por eso: Eva nos cerró los cielos sin llave, y María abrió las puertas por el Ave.

11*

COMO SANTA MARIA GUAREÇEU AO QUE XE LLE TORÇERA A BOCA PORQUE DESCREERA EN ELA.

Fol é o que cuida que non poderia
faze-lo que quisesse Santa Maria.

Dest' un miragre vos direi que avẽo 5
en Seixons, ond' un livro á todo chẽo
de miragres ben d' i, ca d'allur non vẽo,
que a Madre de Deus mostra noit' e dia.
Fol é o que cuida que non poderia...

En aquel mõesteir' á hũa çapata 10
que foi da Virgen por que o mundo cata,
por que diss' un vilão de gran barata
que aquesto per ren ele non creya.
Fol é o que cuida que non poderia...

Diss' el: «Ca de o creer non é guisada 15
cousa; pois que tan gran sazon é passada,
de seer a çapata tan ben guardada
que ja podre non foss', esto non seria.»
Fol é o que cuida que non poderia...

---

* *(E* 61 *T* 61 *To* 47). Ocho coblas singulares: A11 A11 / b11 b11 b11 a11. Virelai («Melodía de cantiga escrita de nuevo; recuerda el canto litúrgico», H. Anglés, III, 1.ª, 264) Spanke en H. Anglés, III, 1.ª, 226.

Esto dizend' ya per hũa carreyra
ele e outros quatro a hũa feyra;
e torceu-xe-ll' a boca en tal maneira
que quen quer que o visse espantar-s-ia.
Fol é o que cuida que non poderia... 20

E tal door avia que ben cuidava
que ll' os ollos fora da testa deitava,
e con esta coita logo se tornava
u a çapata era en romaria.
Fol é o que cuida que non poderia... 25

E logo que chegou deitou-se tendudo
ant' o altar en terra como perdudo,
repentindo-se de que for' atrevudo
en sol ousar dizer atan gran folia.
Fol é o que cuida que non poderia... 30

Enton a abadessa do mõesteyro
lle trouxe a çapata por seu fazfeiro
pelo rostro, e tornou-llo tan enteiro
e tan são ben como xo ant' avia.
Fol é o que cuida que non poderia... 35

Poi-lo vilão se sentiu ben guarido,
do sennor de que era foi espedido,
e ao mõesteiro logo vĩido
foi, e dali sergent' é pois todavia.
Fol é o que cuida que non poderia... 40

Bibliografía

Valmar, *Extractos,* II, 2; H. Anglés, III, 1.ª, 264 y 418; Mettmann, I, 274; Filgueira, 111; J. Snow, núms. 41, 71, 102, 124, 154, 312, 363. Gil de Zamora, 30 (Fita, *BRAH,* VII, 111).

Vocabulario

6. «un livro» (alude a los Milagros de Nuestra Señora de Soissons, recogidos por Hugo Farsito).
7. «allur», 'otra parte' («d'allur», 'de otra parte').
11. «cata», vb. «catar», 'ojear, examinar, observar'.
36. «fazfeiro», 'castigo, reprensión'.
44. «sergente», 'servidor, criado, ayudante'.

Comentario

Como en otras ocasiones la cantiga alude a la fuente, el libro *De miraculis B. M. Virginis in urbe Suosionensi* (colección que recoge Hugo Farsito *PL,* 179, 1777-1800) y trata del castigo sufrido por un villano (un boyero, según el texto latino) que se atrevió a dudar de la autenticidad de una reliquia (un zapato de María) que sus convecinos solían venerar. Una vez que había pronunciado su incredulidad y su osadía, se le torció la boca con tal violencia que los ojos se le ocultaban y le produjo tal dolor que no lo podía resistir. Vueltos hacia el santuario de donde habían venido, la abadesa pasó el zapato por el rostro y se curó. En acción de gracias dejó de servir a los humanos y se hizo siervo de Dios y de su Madre.

«Boso» [en latín], «Bausán», «perverso, vil y traidor». Término derivado del alemán *bose.* Migne en la edición de Hugo Farsito escribe y toma el vocablo como nombre propio. La cantiga lo traduce «vilão de gran barata» (nota 1, Fita, *BRAH,* VII, 111).

Versión

Cómo Santa María curó a quien se le torció la boca porque no creyó en Ella.

Razón: Loco es quien piensa que Santa María
no puede hacer cuanto querría.

Cantar: Sobre esto os narraré un milagro que sucedió en Soissons, donde existe un libro lleno de milagros sucedidos allí, y no en otro lugar, a través de los que la Madre de Dios se nos muestra noche y día.

En aquel monasterio hay una zapata que las gentes creen que fue de la Virgen y de la que un villano trapacero dijo que aquello él no lo creía. Diciendo: «Pues no es cosa fácil de creer; ha pasado tanto tiempo, que no sería posible que fuese zapata tan bien guardada que no se hubiese corrompido (deshecho).»

Diciendo esto iban caminando, él y cuatro amigos, hacia una feria; y torciósele la boca de tal manera, que cualquiera que lo hubiese visto se habría horrorizado. Y tal dolor le sobrevino que creía que se le iban a salir los ojos de sus órbitas; con tal dolor volvió inmediatamente en romería allí donde estaba la zapata.

Cuando llegó se echó de bruces ante el altar, arrepintiéndose del atrevimiento que había tenido de osar decir aquella locura. La abadesa entonces le pasó, para su castigo, la zapata por su rostro, y se tornó tan íntegro y tan sano como antes lo tuviera.

Después que el campesino se sintió curado, se despidió de su señor, y vino al monasterio, y desde entonces se hizo su mandadero y aun fue mucho más devoto todavía.

12*

COMO SANTA MARIA AVẼO AS DUAS CONBOOÇAS QUE SE QUERIAN MAL.

A Groriosa grandes faz
miragres por dar a nos paz.

E dest' un miragre direi
fremoso, que escrit' achei, 5
que fez a Madre do gran Rei,
en que toda mesura jaz,
A Groriosa grandes faz...

Pola moller dun mercador
que, porque seu marid' amor 10
avia con outra, sabor
dele perdia e solaz.
A Groriosa grandes faz...

E por esto queria mal
a ssa comboоça mortal; 15

---

* *(E* 68 *T* 68 *To* 68). Diez coblas singulares de versos octosílabos: A8 A8 / b8 b8 b8 a8. Virelai semejante a una cantiga de amigo de Pero da Ponte (Nunes, II, 240), como también a la «dança balada» de Cerveri de Girona (núm. 97, ed. M. de Riquer). Se da encabalgamiento sintáctico entre III-IV, V-VI, VIII-IX.

e Santa Maria sen al
rogava que lle déss' assaz.
A Groriosa grandes faz...

Coita e mal, por que perder
lle fazia o gran prazer 20
que seu marido lle fazer
soya na vila d' Arraz.
A Groriosa grandes faz...

E pois fez esta oraçon,
adormeçeu-sse log' enton; 25
e dormindo viu en vijon
Santa Maria con grand' az.
A Groriosa grandes faz...

D' angeos, que lle diss' assi:
«A ta oraçon ven oý; 30
mais pero non conven a mi
fazer crueza, nen me praz.
A Groriosa grandes faz...

Demais, aquela vay ficar
os gẽollos ant' o altar 35
meu e çen vezes saudar
me, põend' en terra sa faz.»
A Groriosa grandes faz...

Tan tost' aquela s' espertou
e fois-ss'; e na rua topou 40
cona outra, que sse deitou
ant' ela e disse: «Malvaz
A Groriosa grandes faz...

Demo foi, chus negro ca pez,
que m' este torto fazer fez 45
contra vos; mas ja outra vez

nono farei, pois vos despraz.»
A Groriosa grandes faz...

Assi a Virgen avĩir
fez estas duas, sen falir, 50
que x' ant' avian, sen mentir,
denteira come con agraz.
A Groriosa grandes faz...

Bibliografía

Valmar, *Extractos,* III, 1; Spanke (en H. Anglés, III, 1.ª, 228); H. Anglés, 266 y 418; Mettmann, I, 302; Filgueira, 127; J. Snow, núms. 106, 154, 178, 212, 254.

Vocabulario

1. «combooças», 'mujeres competidoras en el amor de un hombre', 'rivales en amores'.
22. «Araz», 'Arras' (dep. Pas-de-Calais, Francia).
27. «az», 'caterva, hueste, multitud'.
32. «crueza», 'crueldad', 'dureza'.
44. «chus, adv. 'más'.
40. «rúa», 'calle'.
53. «denteira», 'malos modos', 'altivez', 'envidia', 'dentera' sensación desagradable que se experimenta en los dientes y encías al comer sustancias agrias o acerbas. *DRAE.*

Comentario

Se trata de la aparición de la Virgen a una mujer de un mercader de Arrás (Francia) quien le había suplicado que castigase a una convecina suya, amante de su marido, que por este motivo se encontraba cada día más alejado de ella. María le responde que no le es propio castigar con crueldad, en especial a ésta que suele postrarse ante Ella y la saluda cien veces con el rostro en tierra. Después de esta visión se encuentra con aquélla en la calle y ésta postrada le pide perdón por el mal que le había ocasionado.

La *Lámina* 76 (G. Lovillo) describe perfectamente el milagro distribuyendo las cuatro miniaturas primeras en el asunto (dos a la sufrida mujer del mercader y otras dos a su rival), mientras las dos últimas están dedicadas a la reconciliación.

Versión

Cómo Santa María puso avenencia entre dos rivales que se querían mal.

Razón: La Gloriosa grandes milagros hace
por proporcionarnos la paz.

Cantar: Y sobre esto os contaré un milagro hermoso, que hallé escrito, y que hizo la Madre del gran Rey, en la que yace toda yace mesura, en favor de la mujer de un mercader que, porque se entendía con otra, perdió de él toda afición y trato amoroso. Y por este motivo quería mal de morir a su rival; y rogaba a Santa María que le diese enfermedades y males, ya que le hacía perder el gran placer que su marido le solía proporcionar en la villa de Arrás.

Y después que hizo esta oración, se adormeció; y mientras dormía vio en visión a Santa María con una caterva de ángeles, que le dijo así: «He oído tu oración, pero no me va a mí la crueldad, ni tampoco me place. Además, aquélla suele ir a hincar sus rodillas ante mí y saludarme cien veces, poniendo su rostro en tierra.»

Inmediatamente que despertó se fue; en la calle se tropezó con la otra, que se echó ante sus pies y dijo: «El malvado demonio, más negro que la pez, fue quien me hizo cometer tal atropello con vos; pero ya no lo haré jamás, porque os ofende.»

Así hizo la Virgen avenirse a estas dos mujeres, que antes se tenían dentera como cuando se toman agraces.

13*

COMO SANTA MARIA TORNOU A CASULA BRANCA QUE TINGIU O VINNO VERMELLO.

Ben pod' as cousas feas fremosas tornar
a que pod' os pecados das almas lavar.

E dest' un miragre fremoso vos direi 5
que avẽo na Clusa, com' escrit' achei,
que fez Santa Maria; e creo e sei
que mostrou outros muitos en aquel lugar.
Ben pod' as cousas feas fremosas tornar...

De monjes gran convento eran y enton 10
que servian a Virgen mui de coraçon;
un tesoureir' y era aquela sazon,
que Santa Maria sabia muit' amar.
Ben pod' as cousas feas fremosas tornar...

E quando algũa cousa ll' ia falir, 15
log' a Santa Maria o ya pedir,
e ela llo dava; porend' ena servir
era todo seu sis' e todo seu coidar.
Ben pod' as cousas feas fremosas tornar...

---

* *(E* 73 *T* 73 *To* 89). Once estrofas singulares de versos dodecasílabos: A12 A12 b12 b12 b12 a12. Virelai. H. Anglés (III, 1.ª, 269) se pregunta: «¿Nos encontramos acaso ante una melodía de cantar de gesta?» y la califica como de «danza popular; recuerdo lejano de canción épica».

Onde ll' avẽo que na festa de Natal, 20
que dizian os monges missa matinal,
fillou hũa casula de branco çendal
pola yr põer enton sobelo altar.
Ben pod' as cousas feas fremosas tornar...

E fillou na outra mão, com' aprendi, 25
vinno con que fezessen sacrific' ali;
e indo na carreira avẽo-ll' assi
que ouv' en hũa pedra a entrepeçar.
Ben pod' as cousas feas fremosas tornar...

E avẽo-ll' assi que quand' entrepeçou, 30
que do vinno sobrela casula 'ntornou,
que era mui vermello; e tal la parou
como se sangue fresco fossen y deitar.
Bon pod' as cousas feas fremosas tornar...

E aquel vinn' era de vermella coor 35
e espessa tan muito que niun tintor
vermello non podería fazer mellor,
e u caya nono podian tirar.
Ben pod' as cousas feas fremosas tornar...

Quando viu o mong' esto, pesou-lle tant' en 40
que per poucas ouvera de perder o sen,
e diss' enton: «Ay, Madre do que nos manten,
Virgen Santa Maria, e ven-mi ajudar.
Ben pod' as cousas feas fremosas tornar...

E non me leixes en tal vergonna caer 45
com' esta, ca ja nunca 'enquant' eu viver,
non ousarey ant' o abad' apareçer,
nen u for o convento ousarei entrar.»
Ben pod' as cousas feas fremosas tornar...

Esto dizend' e chorando muito dos seus 50
ollos, acorreu-lle log' a Madre de Deus
e fez tal vertude, per que muitos romeus
vẽeron de miu long' a casul' aorar.
Ben pod' as cousas feas fremosas tornar...

Bibliografía

Valmar, *Extractos,* VII, 1; H. Anglés, III, 1.ª, 269 y 418; Mettmann, I, 314; Filgueira, 133; J. Snow, 41, 124. Gil de Zamora, 35 (Fita, *BRAH,* VII, 117).

Vocabulario

6. «Clusa» 'L'Ecluse', los Alpes, Francia, según Fita. Podría significar sólo 'el Monasterio', ya que «clausa», en latín eclesiástico, significa 'claustro, monasterio'.
17. «llo», hay que leerlo «ll'o», distinguiendo el pron. dativo pers. del obj. directo.
23. «çendal», 'cendal'. (Tela de seda o lino muy delgada o transparente. *DRAE.)*
28. «entrepeçar», 'tropezar'.
31. «entornar», 'girar' («entornou sobrela casulla», 'lo volcó sobre la casulla').
32. «vermello», 'bermejo'. (Rojo muy encendido. *DRAE).*
36. «tintor», 'tintorero'.
52. «vertude», 'portento, maravilla'.

Comentario

Un sencillo milagro que se contiene en las más conocidas fuentes latinas (Pez, Ms. Thott 128; Alc. 149). Fita hace referencia a que la cantiga precisa el cargo de «tesoureiro» (sacristán) del joven monje Anselmo, así como sitúa en «Clusa» (L'Ecluse, Los Alpes, Francia) el lugar, y que bien pudo ser cualquier otro, ya que no se puede deducir que la construcción latina se refiera a un topónimo («Sancti Micaelis archangeli nomine consacrata quedam est ecclesia que clausa est ab incolis nuncupata») Mettmann *(CSM,* ed. Castalia, I, 240) dice que se trata de la famosa abadía benedictina llamada Sagra di San Michele, cerca de Chiusa di San Michele (Turín, Italia).

Por otra parte el sacristán solía ser el tesorero y se identificaban ambos oficios.

Un joven sacristán mancha de vino tinto una casulla. Angustiado pide a María lo saque de aquel atolladero ante el abad y la comunidad. María escucha su oración y la casulla se convierte de roja en blanca.

Es una de tantas leyendas vinculadas a ropas sacerdotales que se conservaban después como reliquias y eran objeto de veneración entre los fieles, quienes iban en romería a visitarlas (recuérdese la casulla de san Ildefonso que se conservó en la Cámara Santa de Oviedo hasta bien entrado el siglo XVIII).

Versión

Cómo Santa María volvió blanca la casulla que tiñó el vino bermejo; y comienza así:

Razón: Bien puede las cosas feas hermosas mudar
la que puede de las almas los pecados lavar.

Cantar: Y sobre esto os contaré un hermoso milagro que sucedió en un Monasterio (L'Ecluse), según está escrito, que hizo Santa María; y creo y sé que hizo otros muchos en aquel lugar.

Había entonces allí un gran número de monjes que servían de muy gran corazón a la Virgen; entre ellos había un tesorero (sacristán) que amaba mucho a Santa María. Y cuando alguna cosa le faltaba inmediatamente se lo pedía a la Virgen y Ella se la daba; por lo cual ponía todo su interés y su mente en servirla.

Sucedió que en la fiesta de la Natividad, en la que los monjes decían la misa al Alba, cogió una casulla de blanco cendal para ponerla sobre el altar y con la otra mano, según leí, el vino con que deberían ofrecer el sacrificio allí; y yendo, en el camino, le sucedió que tropezó en una piedra, y al tropezar sucedió que volcó el vino, que era muy bermejo, sobre la casulla; y quedó de tal manera como si hubiesen derramado sangre. Aquel vino era de rojo tan encendido y tan espeso que ningún tintorero habría obtenido color tan bermejo, y allí donde caía no lo podían quitar.

Cuando vio esto el monje, se apesadumbró tanto que por poco perdió el sentido, y entonces dijo: «¡Ay Madre del que nos mantiene, Virgen Santa María, ven en mi ayuda! No me dejes caer en tal vergüenza como ésta, pues ya nunca, mientras viva, osaré presentarme ante el abad, ni donde estuviera reunida la comunidad.

Diciendo esto y llorando mucho, le socorrió la Madre de Dios e hizo tal portento, por el que muchos romeros vinieron de lejos a venerar la casulla; pues siendo bermeja, la hizo tan blanca como no lo fuera la vez primera. Por todo lo cual, cuantos oyeron hablar de esto alabaron a Santa María.

14*

COMO SANTA MARIA TORNOU A MENĨA QUE ERA GARRIDA, CORDA, E LEVÓ-A SIGO A PARAYSO.

Ay, Santa Maria,
quen se per vos guya
quit' é de folia 5
se senpre faz ben.

Porend' un miragre vos direi fremoso
que fezo a Madre do Rey grorioso,
e de o oyr seer-vos-á saboroso,
e prazer-mi-á en. 10
Ay, Santa Maria...

Aquesto foi feito por hũa menynna
que chamavan Musa, que mui fremosinna
era e aposta, mas garridelinna
e de pouco sen. 15
Ay, Santa Maria...

E esto fazendo, a mui Groriosa
pareçeu-ll' en sonnos, sobejo fremosa,

---

* *(E* 79 *T* 79 *To* 42). Diez coblas singulares (excepto las dos últimas, que son doblas): A5 A5 A5 B5 / c11 c11 c11 b5. Huseby *(Ap.* 2, 3 y 6) es partidario de ajustar sus versos según el esquema: AB / cccb. Virelai.

con muitas meninnas de maravillosa
beldad'; e poren 20
Ay, Santa Maria...

Quisera-se Musa ir con elas logo.
Mas Santa Maria lle diss': «Eu te rogo
que, sse mig' ir queres, leixes ris' e jogo,
orgull' e desden. 25
Ay, Santa Maria...

E se esto fazes, d' oj' a trinta dias
seerás comig' entr' estas conpannias
de moças que vees, que non son sandias,
ca lles non conven.» 30
Ay, Santa Maria...

Atant' ouve Musa sabor das conpannas
que en vision vira, que leixou sas mannas
e fillou log' outras, daquelas estrannas,
e non quis al ren. 35
Ay, Santa Maria...

O padr' e a madre, quand' aquesto viron,
preguntaron Musa; e poys que ll' oyron
contar o que vira, merçee pediron
à que nos manten. 40
Ay, Santa Maria...

A vint' e seis dias tal fever aguda
fillou log' a Musa, que jouve tenduda;
e Santa Maria ll' ouv' apareçuda,
que lle disse: «Ven, 45
Ay, Santa Maria...

Ven pora mi toste.» Respos-lle: «De grado.»
E quando o prazo dos dias chegado
foi, seu espirito ouve Deus levado

u dos outros ten 50
Ay, Santa Maria...

Santos. E poren seja de nos rogado
que eno juyzo, u verrá irado,
que nos ache quitos d'err' e de pecado;
e dized': «amen». 55
Ay, Santa Maria...

Bibliografía

Valmar, *Extractos,* IX, 1; H. Anglés, III, 1.ª, 270; Mettmann, I, 333; Filgueira, 144; J. Snow, núms. 51, 124, 298, 373. *(Vid.* V. Bertolucci, «Contributo allo studio della Letteratura Miracolista», *Miscelanea di Studi Ispanici,* VI [1963], 55-59.)

Vocabulario

1. «garrida», 'galana, elegante' *DRAE.* Derivada del verbo «garrir» 'charlar'; 'charlatana' El miniaturista interpreta la joven como una bailarina, posiblemente de vida alegre, que hace lindezas con su cuerpo: «Garridenças». *Vid.* Lámina *(G. Lovillo).*
13. «Musa». El nombre procede de San Gregorio Magno, primero de los escritores eclesiásticos que recoge el suceso.
24. «ris s'e jogo», pareja de sustantivos que se intensifican mutuamente, adquiriendo el significado del que prevalece en el contexto *(Vid.* A. Juárez Blanquer, «Risa e jogo»..., ob. cit.).
25. «sandias», 'alocadas'.
43. «jouve», vb. «jazer», 'yació'.

Comentario

Con la sensibilidad que la caracteriza, V. Bertolucci ha hecho un breve comentario de esta cantiga 79, comparándola con su más que probable fuente *De transitu Musae puellae (Li-*

ber Dialogorum Sancti Gregorii, Liber IV, 18). Y resaltando la agilidad de la narración, su delicadeza y el recurso a la 'geminatio' como método de insistencia en la observación y en los resultados, así como los encabezamientos entre versos de una misma estrofa y los interestróficos de III y IV, VIII y IX y de IX y X.

Se trata de la conversación de una graciosa y alocada muchacha, quien después de una visión celeste, y entusiasmada por ella, renuncia, a instancias de María, a su vida anterior y acepta irse con tan maravillosa compañía. En efecto, a los veintiséis días, una fiebre la postra en cama y María se le aparece en visión y la invita a irse al cielo con Ella. Y así ocurre.

La estrofa última es una súplica a Dios para que perseveremos en el bien.

Keller, analizando la lámina que la acompaña, se pregunta si en las cantigas no se dan indicios de ópera, una protoópera, según sus palabras.

Versión

Cómo Santa María tornó cuerda a una jovencita galana y se la llevó consigo al Paraíso.

Razón: ¡Ay!, Santa María, quien por Vos se guía
libre es de la locura y siempre obra el bien.

Cantar: Por esto os contaré un milagro hermoso que hizo la Madre del Rey glorioso, y os será sabroso de oír y me gozaré de ello.

Esto fue hecho por una jovencita que llamaban Musa, que era muy graciosa y apuesta, pero licensiosa y de poco seso. Y ocupada en esto, se le apareció en sueños la muy Gloriosa, muy hermosa y con muchas jóvenes de belleza sin igual; y por esto se quiso ir Musa con ellas inmediatamente. Pero Santa María le dijo: «Yo te pido que, de querer venirte conmigo, dejes la risa y el juego, el orgullo y el desdén. Y si haces esto, de hoy en treinta días estarás conmigo y con esta compañía de jóvenes, que, como ves, no son alocadas porque no les conviene.»

Tan buen sabor le quedó de las compañeras que viera en

visión, que dejó sus costumbres y cogió otras, distintas de aquéllas, y no quiso otra cosa.

El padre y la madre, cuando esto vieron, preguntaron a Musa; y después que le oyeron contar lo que había visto, pidieron piedad a la que nos mantiene.

A los veintiséis días cogió tan aguda fiebre, que debió meterse en cama. Y aparecida que se le hubo, Santa María le dijo: «Ven, ven hacia mí, enseguida.» Y ella le respondió: «Con gusto.» Y cuando a los dos días el plazo hubo llegado, su espíritu fue llevado allí donde Dios tiene a sus santos.

Y por esto sea rogado por nosotros que en el juicio, cuando vendrá airado, que nos halle sin yerro ni pecado; y diciendo: «amén».

15*

COMO SANTA MARIA DECEU DO CEO EN HŨA EIGREJA ANTE TODOS E GUARECEU QUANTOS ENFERMOS Y JAZIAN QUE ARDIAN DO FOGO DE SAN MARÇAL.

A Virgen nos dá saud' / e tolle mal,
tant' á en si gran vertud' / esperital. 5

E poren dizer-vos quero
entr' estes miragres seus
outro mui grand' e mui fero
que esta Madre de Deus
fez, que non poden contradizer judeus 10
nen ereges, pero queiran dizer al.
A Virgen nos dá saud' / e tolle mal...

Aquest' avẽo en França,
non á y mui gran sazon,
que os omes por errança 15
que fezeran, deu enton
Deus en eles por vendeita cofojon
deste fogo que chaman de San Marçal.
A Virgen nos dá saud' / e tolle mal...

---

* *(E* 91 *T* 91 *To* 82). Cantiga de ocho coblas singulares: A7 B4 A7 B4 / c7 d7 c7 d7 d11 b11. Huseby *(Ap.* 2) la califica Virelai de versos largos con rima interna y cesura, según el esquema: AA / bbba. Le Gentil opinaba que según la distribución actual sería modelo de seguidilla *(La poésie lyrique...,* II, 442, núm. 10).

E braadand' e gemendo 20
fazian-ss' enton levar
a Saixon logo correndo
por ssa saud' y cobrar,
cuidand' en todas guisas y a sãar
pela Virgen, que aos coitados val. 25
A Virgen nos dá saud' / e tolle mal...

E era de tal natura
aquel mal, com' aprendi,
que primeiro con friura
os fillava, e des i 30
queimava peyor que fogo; e assi
sofrian del todos gran coita mortal.
A Virgen nos dá saud' / e tolle mal...

Ca os nembros lles cayan,
e sol dormir nen comer 35
per mulla ren non podian
nen en seus pees s' erger,
e ante ja querrian mortos seer
que sofrer door atan descomũal.
A Virgen nos dá saud' / e tolle mal... 40

Porend' hũa noit' avẽo
que lume lles parcceu
grande que do ceo vẽo,
e log' enton decendeu
Santa Maria, e a terra tremeu 45
quando chegou a Sennor celestial.
A Virgen nos dá saud' / e tolle mal...

E os omees tal medo
ouveron, que a fugir
se fillaron, e non quedo, 50
mais quanto podian ir;
e ela fez log' os enfermos guarir

como Sennor que enas coitas non fal
A Virgen nos dá saud' / e tolle mal...

A quena chama, fiando 55
no seu piadoso ben,
ca ela sempre ven quando
entende que lle conven.
Porend' a esses enfermos nulla ren
non leixou do fogo, nen sol un sinal. 60
A Virgen nos dá saud' / e tolle mal...

Bibliografía

Valmar, *Extractos,* XIV, 2; H. Anglés, III, 1.ª, 275 y 419; Mettmann, I, 362; Filgueira, 160; J. Snow, núms. 194, 221, 347.

Vocabulario

17. «vendeita», 'castigo'.
17. «cofojon», 'desgracia, perdición'.
22. «Saixon», Soissons.
29. «friura», 'frío'.
45. «tremeu», vb. «tremer», 'tembló'.

Comentario

De nuevo una cantiga que nos habla del «ignis sacer», o «mortifer ardor» ('fuego sagrado' o 'fuego mortal') conocido como 'fuego de san Antón' o 'fuego de san Marzal', cuyos efectos devastadores hicieron presa, en la Francia del siglo XI y principios del siglo XII, en muchos enfermos. En 1129, en París, catorce mil cadáveres se amontonaban en torno al relicario de santa Genoveva, invocada en vano (Sendrail, 236).

La lámina 101 (G. Lovillo) describe con todo realismo el suceso. Los enfermos hacinados en la plaza muestran los muñones de sus pies, y luego se dirigen llevados en carros y andas a la iglesia. María aparece con el niño a su lado y los acompañantes huyen despavoridos. Las figuras de las miniaturas de la parte inferior son mucho más serenas: muestran a María impartiendo la bendición sobre los enfermos y la última, la procesión de acción de gracias.

El interés de la cantiga radica precisamente en la descripción de la enfermedad, testimoniando lo que Anales y Crónicas nos han transmitido. También, en ella, como en otras, la epidemia se la considera como castigo de Dios a los pecados de los hombres.

Versión

Cómo Santa María descendió del cielo a una iglesia en presencia de todos y sanó a cuantos enfermos yacían allí, que padecían el fuego de San Marzal.

Razón: La Virgen que nos da la salud y nos quita el mal, tiene en sí tanto poder espiritual.

Cantar: Y por esto os quiero decir de entre sus milagros otro muy grande y tremendo, que esta Madre de Dios hizo, y que no pueden contradecir ni judíos ni herejes, aunque quieran decir otra cosa.

Esto sucedió en Francia, no hace mucho, cuando por los pecados de los hombres, les dio Dios como castigo la desgracia de este fuego que llaman de San Marzal. Y bramando y gimiendo se hacían todos llevar a Soissons para recobrar allí su salud, pensando que de cualquier modo allí sanarían, gracias a la Virgen, que a todos socorre.

Era de tal naturaleza aquel mal, según supe, que primero les entraba con gran frío e inmediatamente después se quemaban peor que si estuvieran al fuego; y de este modo sufrían un mal mortal. Los miembros se les caían y ni aun dormir ni comer podían, ni tenerse en pie, y antes querían morir que sufrir tales dolores.

Entonces, sucedió que una noche les vino una gran luz del cielo e inmediatamente descendió Santa María, y la tierra tembló al llegar la Señora celestial. Los hombres tuvieron tal miedo que se pusieron a huir, no quedando ninguno de los que podían caminar; pero Ella hizo que sanaran los enfermos, como Señor a que no falta en las enfermedades a quien la llama, confiando en su bondad, pues siempre acude cuando entiende que esto conviene. Por lo cual a aquellos enfermos no les dejó del fuego tan sólo una señal.

16*

ESTA É DE LOOR.

Santa Maria,
Strela do dia,
mostra-nos via
pera Deus e nos guia. 5

Ca veer faze-los errados
que perder foran per pecados
entender de que mui culpados
son; mais per ti son perdõados
da ousadia 10
que lles fazia
fazer folia
mais que non deveria.
Santa Maria...

Amostrar-nos deves carreira 15
por gãar en toda maneira
a sen par luz e verdadeira
que tu dar-nos podes senlleira;
ca Deus a ti a
outorgaria 20

* *(E* 100 *T* 100 *To* X). Cantiga colofón del primer centenar. Tres coblas singulares: A4 A4 A4 A6 / b8 b8 b8 b8 a4 a4 a4 a6. Hueby *(Ap.* 2 y 5) presenta el esquema AA / bbbb aa. Virelai.

e a querria
por ti dar e daria.
Santa Maria...

Guiar ben nos pod' o teu siso
mais ca ren pera Parayso 25
u Deus ten senpre goy' e riso
pora quen en el creer quiso;
e prazer-m-ia
se te prazia
que foss' a mia 30
alm' en tal compannia.
Santa Maria...

Bibliografía

Valmar, *Extractos,* XVI, 3; H. Anglés, III, 1.ª, 211 (Spanke), 278 y 419; Mettmann, I, 385, Filgueira, 174; J. Snow, núms. 72, 79, 129, 324, 354.

Vocabulario

7. «pecados entender», 'ocuparse o relacionarse con pecados'.
17. «a sen par luz», 'la sin par luz'.
26. «goy 'e riso». De nuevo una pareja de sustantivos que se intensifican entre sí *(Vid.* A. Juárez, ob. cit. 'goyo y riso').

Comentario

Cantiga súplica como corresponde a las cantigas colofón, que cierran las centenas. La *Lámina* 111 nos muestra al Rey trovador (Ana Rodríguez, «Imágenes de un rey trovador de Santa María: Alfonso X en las *Cantigas de Santa María)», en Il medio Oriente e l'Occidente nell'arte del XIII secolo,* Actas del 24.º Congreso Internacional de Historia del Arte, Bolonia, 1979,

229-239), el propio Alfonso X, que muestra a sus cortesanos a María, estrella del día. Este título mariano tiene una raigambre que data de muy antiguo y que ha sido trasladado del uso marinero a la liturgia. Las miniaturas están enlazadas unas con otras mediante el dedo de sus protagonistas (El Rey y María) terminando con una preciosa del coro de santos y ángeles en el Paraíso, enmarcados por cinco árboles (palmeras y cedros) en cuyas ramas posan numerosas aves (las aves del Paraíso).

Versión

Ésta es de loor.

Razón: Santa María, Estrella del día,
muéstranos la vía hacia Dios y sé nuestra guía.

Cantar: Pues haces ver a los errados que por entender en pecados son por ello muy culpados; pero que por Ti son perdonados de la osadía que les hacía cometer tal locura que ya no deberían (cometer).

Debes mostrarnos la senda con la que ganemos a toda costa la luz verdadera y sin par que Tú sola nos puedes dar; pues Dios a Ti la otorgaría y la querría por Ti dar y la daría.

Tu buen sentido bien puede guiarnos mejor que cosa alguna hacia el Paraíso donde Dios reserva el gozo para quien quiso en Él creer; y bien que me placería si a Ti te pluguiese que en tal compañía mi alma estuviese.

17*

COMO SANTA MARIA FEZE ESTAR O MONGE TREZENTOS ANOS AO CANTO DA *passarÿa*, PORQUE LLE PEDIA QUE LLE MOSTRASSE QUAL ERA O BEN QUE AVIAN OS QUE ERAN EN PARAISO.

Quena Virgen ben servirá
a Parayso irá. 5

E daquest' un miragre / vos quer' eu ora contar,
que fezo Santa Maria / por un monge, que rogar-
ll'ia sempre que lle mostrasse / qual ben en Parais' á,
Quena Virgen ben servirá...

E que o viss' en ssa vida / ante que fosse morrer. 10
E porend' a Groriosa / vedes que lle foi fazer:
fez-lo entrar en hũa orta / en que muitas vezes ja
Quena Virgen ben servirá...

Entrara; mais aquel dia / fez que hũa font' achou
mui crara e mui fremosa, / e cab' ela s'assentou. 15
E pois lavou mui ben sas mãos, / diss': «Ai, [Virgen,
Quena Virgen ben servirá...

---

* *(E* 103 *T* 103 *To* 93). Cantiga de trece coblas: A8 A7 / n7 b7 n7 b7 n8 a7. Huseby es partidario del esquema A / bba alargando los versos *(Ap.* 2, 3 y 5). Encabalgamiento sintáctico entre 2.º y 3.º versos e interestrófico (III y IV, VI y VII, VII y VIII, XIV y XV). Virelai (Melodía típica de cantiga. H. Anglés, III, 1.ª, 279).

Se verei do Parayso, / o que ch' eu muito pidi.
algun pouco de seu viço / ante que saya daqui,
e que sábia do que ben obra / que galardon averá.» 20
Quena Virgen ben servirá...

Tan toste que acabada / ouv' o mong' a oraçon.
oyu hũa passarinna / cantar log' en tan bon son.
que sse escaeceu seendo / e catando sempr' alá.
Quena Virgen ben servirá... 25

Atan gran sabor avia / daquel cant' e daquel lais,
que grandes trezentos anos / estevo assi, ou mays,
cuidando que non estevera / senon pouco, com' está
Quena Virgen ben servirá...

Mong' algũa vez no ano, / quando sal ao vergeu. 30
Des i foi-ss' a passaryn[n]a, / de que foi a el mui
[greu,
e diz: «Eu daqui ir-me quero, / ca oy mais comer
[querrá
Quena Virgen ben servirá...

O convent'.» E foi-sse logo / e achaou un gran portal
que nunca vira, e disse: / «Ai, Santa Maria, val! 35
Non é est' o meu *mõesterio*, / pois de mi que se fará?»
Quena Virgen ben servirá...

Des i entrou na eigreja, / e ouveron gran pavor
os monges quando o viron, / e demandou-ll' o prior,
dizend': «Amigo, vos quen sodes / ou que bus-
[cades 40
Quena Virgen ben servirá...

Diss' el: «Busco meu abade, / que agor' aqui leixey,
e o prior e os frades, / de que mi agora quitey
quando fui aquela orta; / u seen quen mio dirá?»
Quena Virgen ben servirá...

Quand' est' oyu o abade, / teve-o por de mal sen, 45
e outrossi o convento; / mais des que souberon ben
de como fora este feyto, / disseron: «Quen oyrá
Quena Virgen ben servirá...

Nunca tan gran maravilla / como Deus por este fez
Polo rogo de ssa Madre, / Virgen Santa de gran
[prez! 50
E por aquesto a loemos; / mais quena non loará
Quena Virgen ben servirá...

Mais do'utra cousa que seja? / Ca, par Deus,
[dereit' é,
pois quanto nos lle pedimos / nos dá seu Fill',
[a la ffe,
por ela, e aqui nos mostra / o que nos depois dará.» 55
Quena Virgen ben servirá...

Bibliografía

Valmar, *Extractos,* I, 4; H. Anglés, III, 1.ª, 279 y 419; Mettmann, I, 392; en especial. Filgueira *(La Cantiga CIII. Noción del tiempo y gozo eterno en la narrativa medieval,* Compostela, Universidad de Santiago de Compostela, 1936), 177; J. Snow, núms. 34, 73, 101, 121, 125, 150, 164, 229, 237, 256, 258, 264, 369 bis.

Vocabulario

2. «passarŷa», 'avecilla'.
24. «escaeceu», vb. «escaecer», 'se olvidó'.
26. «daquel canto e daquel lais» «en aquel canto y en aquella canción» (Una expresión igual en Cercamon: «ni chans ni lais», 'ni canto ni gorgeo', M. de Riquer, *Trovador,* I, 229).

Comentario

Es imprescindible tener presente el trabajo que Filgueira hizo, y tiene publicado, sobre esta cantiga, arriba señalado. En él analiza la leyenda del monje y del pajarillo dentro de las leyendas de la escatología medieval en toda su gama cultural: profana, cristiana, islámica y judía. De igual modo los viajes al Paraíso, las leyendas de durmientes y de supervivencia. Analiza las fuentes, su difusión, su localización y, por último, los diversos elementos que constituyen la leyenda: el tiempo, el goce de lo musical, el ave y el bosque. Como apéndices reproduce las varias versiones que de esta leyenda existen, como también otras interpretaciones.

Uno de los elementos, que juegan un papel importante en la transición del mundo real al mundo sobrenatural, es la «fuente». Filgueira la justifica mediante la sugestión verbal que debió producir el texto que sirvió, posiblemente, a Alfonso X de texto inspirador: la versión anónima del siglo XIII *(Ibídem,* pág. 145). Allí se dice: «Quid erit ergo in fonte dulcedinis, cum Petrus apostolus dicat: Apud Dominum erunt *M*. anni sicut dies unus *(2 Pet.* III, 8).» Pero queda la duda de cómo una sola sugestión verbal ha podido suscitar ese motivo, a todas luces, fundamental. Quizás haya que pensar en la fuente de Brocelianne, de origen artúrico o bretón, elemento siempre mágico que hace trasladarse a los personajes que a ella llegan a reinos fantásticos y por tiempos indefinidos. Yvain, por ejemplo, después que hubo derramado el agua sobre la fuente, provocó la tempestad y posteriormente la calma, el sosiego, las aves canoras y la gran aventura del castillo de la viuda que lo retuvo más tiempo de lo que él había prometido a su dama.

Versión

Cómo Santa María hizo permanecer al monje trescientos años oyendo el canto de la avecilla, porque le pedía que le mostrase el bien que disfrutaban los que estaban en el Paraíso.

Razón: Quien bien sirviese a la Virgen al Paraíso irá.

Cantar: Y sobre esto os quiero contar un gran milagro que hizo Santa María por un monje que siempre le estaba pidiendo que le mostrase cuál era el bien que existe en el Paraíso, y que lo viese en su vida antes de morir. Y mirad qué le hizo la Gloriosa: le hizo entrar en una huerta, en la que ya había entrado muchas veces; pero en aquel día permitió que encontrase una fuente muy clara y muy hermosa, y junto a ella se sentó. Y después que hubo lavado bien sus manos, dijo: «¡Ay, Virgen! ¿cuándo será que yo vea algo del gozo del Paraíso antes de salir de esta vida, lo que yo tanto he pedido, y que sepa qué galardón tendrá el que obra el bien?»

Inmediatamente que hubo acabada la oración oyó una avecilla cantar en tan buen son, que se olvidó (se traspuso), sentado y mirando siempre hacia ella. Tanto sabor tuvo de aquel canto y de aquel gorgeo, que estuvo sus buenos trescientos años así, o más, pensando que no habría estado sino poco, como suelen estar los monjes una vez al año, cuando salen al vergel.

Cuando se fue la avecilla, se quedó muy triste y dijo: «Ay, Santa María!, valedme! Este no es mi monasterio, ¿qué será de mí?»

Entró entonces en la Iglesia y los monjes, cuando lo vieron, se asustaron, y el prior le preguntó, diciendo: «Amigo, ¿quién sois o qué buscáis aquí?»

Dijo él: «Busco a mi Abad, que hace poco aquí dejé, y al prior y a los monjes, de quienes me separé ahora mismo cuando fui a la huerta: dónde estén, ¿quién me lo dirá?»

Cuando esto oyó el Abad, lo tuvo por loco, e igualmente el convento; pero luego que supieron bien cómo había ocurrido aquello, dijeron: «¡Quién oirá semejante maravilla como la que Dios ha hecho por éste, a ruegos de su Madre, la Virgen Santa de gran mérito! Por todo esto, alabémosla; pero ¿quién no la alabará más que a otra cosa? Pues, ¡por Dios!, gran derecho es, ya que cuanto le pedimos por Ella a su Hijo nos da, bien cierto es, y aquí nos muestra lo que después nos dará.»

18*

ESTA É COMO SANTA MARIA SACOU DOUS ESCUDEIROS DE PRIJON.

Prijon forte nen dultosa
non pod' os presos tẽer
a pesar da Groriosa.

Desta razon vos direi 5
un miragre que achei
escrito, e mui ben sei
que farei
del cantiga saborosa.
Prijon forte nen dultosa... 10

E contari sen mentir
como de prijon sair
fez dous presos e fogir
e pois ir
en salv' a mui Preciosa. 15
Prijon forte nen dultosa...

Dous escudeiros correr
foron por rouba fazer;

---

* *(E* 106 *T* 106 *To* 45). Once coblas singulares más refrán: A7 N7 A7 / b7 b7 b7 b3 a7 (H. Anglés, III, 1.ª, 279 y 419). Huseby recomienda reducirla al esquema: A / bba. Virelai.

mais fóron-os a prender
e meter 20
en prijon perigoosa.
Prijon forte nen dultosa...

Jazend' en aquel logar,
ũu deles sse nembrar
foi com' en Seixon lavrar 25
e pintar
viu eigreja mui fremosa.
Prijon forte nen dultosa...

E diss' a seu compannon:
«Se eu sayr de prijon, 30
cen cravos darei en don
a Seixon
que é obra mui costosa.»
Prijon forte nen dultosa...

E pois esto prometeu, 35
logo ll'o cepo caeu
en terra; mais non ss' ergeu:
atendeu
ant' a noite lubregosa.
Prijon forte nen dultosa... 40

Mais poi-la noite chegou,
a seu compannon contou
como ll'o cepo britou
e sacou
end' a Virgen piedosa. 45
Prijon forte nen dultosa...

O outro lle diss' assi:
«Per quant' eu a vos oý,
mil cravos levarei y
se mi a mi 50

toll' esta prijon nojosa.»
Prijon forte nen dultosa...

Pois s' o primeiro sentiu
solto, da prijon fogiu.
A guarda, quand' esto viu, 55
log' abriu
a carcer mui tẽevrosa
Prijon forte nen dultosa...

Polo outr' y guardar ben,
ca atal era seu sen; 60
mas dele non achou ren,
e poren
ouv' a Virgen sospeitosa,
Prijon forte nen dultosa...

Madre de Nostro Sennor, 65
que lle fora soltador
dos presos e guiador,
sen pavor,
como Sennor poderosa.
Prijon forte nen dultosa... 70

Bibliografía

Valmar, *Extractos,* VI; Mettmann, II, 106; Filgueira, pág. 184; Snow, núms. 41, 124; Spanke en H. Anglés, III, 1.ª, 250.

Vocabulario

1. 'dultosa', terrible, espantosa.
18. 'rouba fazer', robar (hacer botín).
24. 'sse nembrar', acordarse, venírsele a la cabeza.
43. 'britou', se rompió.

Comentario

Esta breve cantiga está tomada de los milagros de Nuestra Señora de Soissons cuya redacción se atribuye a Hugo Farsito, recogidos en las Colecciones de milagros latinos manuscritos Thott 128, 75 y manuscritos 110, 75, donde se dice que los escuderos eran originarios de Laon, así como que la cárcel estaba más allá de la selva Therescia, en el castro denominado Advessve.

La abadía de Nuestra Señora de Soissons, una de las muestras más bellas del románico, conservaba en su interior numerosas reliquias que la tradición atribuía a donaciones de Carlomagno.

Aquí se nos ofrece un modelo de apoyo a la construcción de los templos. Los escuderos prometen ofrecer clavos para la edificación de la iglesia de Soissons: uno, cien y el otro, mil, donaciones mínimas, sin duda, pero útiles en todo tiempo.

Desde un punto de vista de teoría literaria, la cantiga nos ofrece pistas para interpretar términos como 'razon', 'miragre', 'cantiga'. El primero sería la sentencia religioso-moral contenida en el refrán o estribillo, el segundo es el suceso que va a originar la secuencia narrativa, que, convenientemente musicada, constituirá la cantiga.

Versión

Ésta es cómo Santa María liberó a dos escuderos de una prisión.

Razón: No se puede someter a los presos a prisión lóbrega y dura contra la voluntad de la Gloriosa.

Cantar: Acerca de esta *razón* os contaré un *milagro* que hallé escrito y del que estoy muy seguro que compondré una *bella cantiga.* Y (en ella) contaré cómo hizo salir y huir de la prisión a dos encarcelados, recobrando la libertad, la Preciosa.

Dos escuderos fueron a robar, pero los cogieron y los metieron en una dura mazmorra. Estando los dos en aquel lugar a uno de ellos le vino en mientes cómo había visto construir y pintar una iglesia muy hermosa en Soissons y dijo a su compañero: «Si yo llego a salir de prisión ofreceré cien clavos a Soissons como ofrenda para su costosa obra.»

Una vez que hubo pronunciado esta promesa, el cepo le cayó a tierra, pero no se irguió; esperó la noche oscura.

Cuando llegó la noche contó a su compañero cómo la Virgen piadosa había quebrantado el cepo y lo había liberado de él.

Entonces el otro le dijo: «Por cuanto os he oído, mil clavos llevaría yo, si María me sacase de esta cárcel horrorosa.»

Liberado el primero, huyó de la prisión. El guardián al comprobar esto, abrió enseguida la prisión tenebrosa, con la intención de asegurar con más cuidado al otro; pero no halló rastro de él y por tanto empezó a sospechar de la Virgen, Madre de Nuestro Señor, que fue la liberadora y guía, sin temor alguno, de los presos, como Señora que es poderosa.

Como preseron hũa judea en Segouia q̃ foi achada en erro.
E a espeñaron e non sse fez mal por que chamou santa M.
Comosse leuantou saa loando muito santa maria por en.
E entrou na eigreja de santa M. e contou o miragre aa gente.
Como aquela judea sse tornou crischãa

19*

COMO SANTA MARIA GUARDOU DE MORTE HŨA JUDEA QUE ESPENARON EN SEGOVIA; [E] PORQUE SSE ACOMENDOU A ELA NON MORREU NEN SE FIRIU.

Quen crever na Virgen Santa,
ena coita valer-ll-á. 5

Dest' un miragr', en verdade,
fez en Segovi' a cidade
a Madre de piedade,
qual este cantar dirá
Quen crever na Virgen Santa... 10

Dũa judea achada
que foi en err' e fillada
e a esfalfar levada
dũa pena qu' i está
Quen crever na Virgen Santa... 15

Muit' alta e muit' esquiva.
E ela diss': «Ai, cativa,

* *(E* 107 *T* 107). Catorce coblas singulares. Spanke (en H. Anglés, III, 1.ª, 205) la cita y compara su melodía con la de Pero da Ponte «Senhor da corpo delgado» (A. 292). Lo mismo hace Anglés *(Ibídem,* 280), quien aplica su música al «rondeau» del trovador gallego-portugués. G. V. Huseby dice que es un «virelai», cuyo esquema es como sigue: A7 B7 / c7 c7 c7 b7 *(Ap.* 5).

como pode ficar viva
quen daqui a caer á,
Quen crever na Virgen Santa... 20

Senon se Deus xe querria!
Mas tu, Reỹa Maria,
u crischãydade fia,
se tal es com' oý ja
Quen crever na Virgen Santa... 25

Que acorre-las coytadas
que ti son acomendadas,
ontre toda-las culpadas
val a mi, ca mester m' á.
Quen crever na Virgen Santa... 30

E sse ficar viv' e sãa,
logo me fare[i] crischãa
ante que seja mannãa
cras, u al non averá.»
Quen crever na Virgen Santa... 35

Os judeus que a levaron
na camisa a leixaron
e logo a espenaron,
dizendo: «Alá yrá!»
Quen crever na Virgen Santa... 40

Mais pois dali foi cauda,
da Virgen foi acorruda;
poren non foi pereçuda,
pero caeu long' alá
Quen crever na Virgen Santa... 45

Jus' a pe dũa figueira,
e ergeu-sse mui ligeira-
ment' e foi-sse sa carreira

dizendo: «Senpre será
Quen crever na Virgen Santa... 50

Bẽeita a Groriosa,
Madre de Deus preciosa,
que me foi tan piadosa;
e quena non servirá?»
Quen crever na Virgen Santa... 55

E chegou aa eigreja
daquela que senpre seja
bẽeita, u mui sobeja
gente viu, e diss': «Acá
Quen crever na Virgen Santa... 60

Vĩid' e batiçar-m-edes,
e tal miragr' oyredes
que vos maravillaredes,
e tod' om' assi fará.»
Quen crever na Virgen Santa... 65

E tan tost' aquela gente
a batiçou mantenente;
e foi sempre ben creente
da que por nos rogará
Quen crever na Virgen Santa... 70

A seu Fillo grorioso
que nos seja piadoso
eno dia temeroso
quando julgar-nos verrá.
Quen crever na Virgen Santa... 75

Bibliografía

Valmar, *Extractos,* XII, 1; H. Anglés, III, 1.ª, 205 (Spanke) 280 y 419; Mettmann, I, 405; Filgueira, 185; J. Snow, núms. 43, 162, 174, 178, 246, 256, 257, 269, 272, 315, 345, 347, 366.

Vocabulario

4. «crever», vb. fut. subj. de «creer», 'creyera', 'creyere'.
13. «esfalfar», 'precipitar, arrojar'.
34. «cras», 'mañana' (latinismo, con el significado de 'otro día').
38. «espenaron», vb. «spenar», 'despeñar' (tirar desde una peña).

Comentario

Fidel Fita en su amplio trabajo sobre «La judería de Segovia» *(BRAH,* IX [1886], 372-389) en su sección 9 trata de «Marisaltos o la hebrea de la Fuencisla», protagonista de esta cantiga, y remite al Cerratense (Rodrigo de Cerrato) quien se declara testigo presencial del hecho (hacia 1204). El hecho se recoge en Comenares, *Historia de Segovia,* 1636 (XXI, VII). Véase, además, J. Fradejas, «La cantiga *CVII* o de Mari Saltos». *Fragmentos* 2 (1984), 20-34.

Versión

Cómo Santa María libró de la muerte a una judía que despeñaron en Segovia; y porque se encomendó a Ella ni murió ni quedó herida.

Razón: Quien creyere en la Virgen Santa
en sus cuitas le valdrá.

Cantar: Sobre esto la Madre de piedad hizo en la ciudad de Segovia un (tal) milagro, cual este cantar dirá; acerca de una judía que fue hallada en pecado y apresada y llevada para arrojarla desde una peña que allí está, muy alta y muy abrupta. Y ella dijo: «¡Ay!, desgraciada, ¡cómo puede quedar viva quien desde aquí cayese, a no ser que Dios lo quiera! Mas Tú, Reina María, en quien confía la cristiandad, si eres como oír solía, que socorres a los angustiados que en Ti se encomiendan, socórreme a mí entre todas las pecadoras, pues he menester. Y de quedar viva y sana, me haré luego cristiana, antes de la mañana del día siguiente, sin más.»

Los judíos, que la llevaron, la dejaron en camisa y luego la despeñaron diciendo «¡Allá va!»

Pero, después que cayó, fue socorrida por la Virgen; por ello no pereció sino que cayó un poco más allá, al pie de una higuera, y se levantó enseguida y cogió su camino, diciendo: «Siempre sea bendita la Gloriosa, Madre de Dios preciosa, quien fue para mí piadosa: ¿quién no la servirá?»

Y en llegando a una iglesia de aquella que siempre bendita sea, donde había mucha gente, dijo: «Venid acá y bautizadme, y oiréis tal milagro que os maravillaréis vosotros y todo el mundo.»

Y aquéllos la bautizaron inmediatamente; y fue en adelante creyente de la que por nosotros rogará a su Hijo glorioso, para que nos sea piadoso en el día aciago que a juzgarnos vendrá.

20*

ESTA É DE LOOR DE SANTA MARIA.

Quantos me creveren loarán
a Virgen que nos manten.

Ca sen ela Deus non averán
Quantos me creveren loarán 5
nenas sas fazendas ben farán
Quantos me creveren loarán
neno ben de Deus connocerán;
e tal consello lles dou poren.
Quantos me creveren loarán... 10

E con tod' esto servi-la-an
e de seu prazer non sayrán
e mais d' outra ren a amarán,
e serán per y de mui bon sen;
Quantos me creveren loarán... 15

---

* (*E* 120 *T* 120). Tres estrofas unisonantes: A9 B7 / a9 A9 a9 A9 a9 b9. Esta es una de las cantigas que Spanke considera como verdadero rondel. Antes hace una breve historia de la presencia en la Península Ibérica de la forma rondel (en H. Anglés, III, 1.ª, 202-207 y 211). Higinio Anglés dice que recuerda la del núm. 308, que también aparece como 'rondeau' y la califica de «tonada popular como de juego de niños y recuerdo lejano de canción de gesta» (H. Anglés, III, 1.ª, 184 y 420).

Ca en ela sempre acharán
mercee mui grand' e bon talan,
per que atan pagados serán
que nunca desejarán al ren.
Quantos me creveren loarán... 20

Bibliografía

Valmar, *Extractos*, XVI, 3; H. Anglés, III, 1.ª, 211 (Spanke), Mettmann, I, 443; Filgueira, 204; J. Snow, núms. 113, 354.

Comentario

Cantiga en la que vuelve a exaltar el servicio de María. Primero negativamente, ya que quien no sirve a María no tendrá ni a Dios, ni su gracia, ni ningún mérito; por lo cual aconseja que la sirvan, la agraden y la amen. Quienes así obren recibirán de ella el galardón y se sentirán tan satisfechos que no desearán otra cosa. Es una variante de la canción prólogo, en sus últimas estrofas. Esta invitación a amar y servir a María, Alfonso X la repetirá en varias ocasiones y, por otra parte, es el tema constante de todos los versificadores de milagros (Gonzalo de Berceo, Gautier de Coinci, Jean Le Marchant).

Versión

Ésta es de loor de Santa María.
Razón: Cuantos a mí creyeren alabarán
a la Virgen que nos mantiene
Cantar: Pues sin Ella, a Dios no tendrán
ni sus obligaciones acertarán
ni aun el bien de Dios obtendrán;
por lo cual este consejo conviene:

a más que a nadie servirán
y de su agrado nunca saldrán

y más que a cosa amarán,
mostrando en ello que seso tienen;

porque en Ella siempre hallarán
merced muy grande y voluntad,
por la que tan pagados serán
que nunca desearán de otra bienes.

21*

COMO SANTA MARIA RESUCITOU HŨA INFANTE, FILLA DUN REI, E POIS FOI MONJA E MUI SANTA MOLLER.

Miragres muitos pelos reis faz
Santa Maria cada que lle praz.

Desto direi un miragre que vi — 5
que en Toled' a Virgen fez ali
na ssa capela, e creed' a mi
que faz y outros miragres assaz.
Miragres muitos pelos reis faz...

Esta capela no alcaçar é — 10
da Santa Virgen u ficou a fe,
e dentro hũa ssa figura sé
feita como quando pariu e jaz.
Miragres muitos pelos reis faz...

Esta fez pintar o Emperador, — 15
o que de tod' Espanna foi sennor;
mas o bon Rei Don Fernando mellor
a pintou toda, o corp' e a faz.
Miragres muitos pelos reis faz...

---

* *(E* 122 *T* 122). Trece coblas singulares con refrán: A10 A10 / b10 b10 b10 a10. Virelai.

A este Rei hũa filla naceu 20
que a Santa Maria prometeu,
des i aa orden offereceu
de Cistel, que é santa e de paz.
Miragres muitos pelos reis faz...

Esta menỹa ssa madre criar- 25
a fez pera às Olgas a levar
de Burgos; mais la menỹ' a[n]fermar
foi e morreu, de que mao solaz.
Miragres muitos pelos reis faz...

Toda a noite ssa ama levou, 30
ca de doo a matar-se cuidou;
e a sa madre logo o contou,
e ela fez como a quen despraz.
Miragres muitos pelos reis faz...

De lle morrer sa filla. E enton 35
foy-a fillar e diss' assi: «Pois non
quis a Virgen, a que te dei en don,
que vivesses, mais quiso que na az.
Miragres muitos pelos reis faz...

Dos mortos fosses por pecados meus, 40
poren deitar-t-ey ant' os pees seus
da ssa omagen da Madre de Deus.»
E fez-lo logo, par San Bonifaz.
Miragres muitos pelos reis faz...

A todos da capela fez sayr, 45
des i mandou ben az portas choyr;
e as donas fillaron-ss' a carpir,
e ela chorando pos seu anfaz
Miragres muitos pelos reis faz...

E disse: «Ja mais non me partirei 50
daquesta porta, ca de certo sey
que me dará a Madre do bon Rei
mia filla viva; senon, de prumaz
Miragres muitos pelos reis faz...

Tragerei doo ou dun anadiu.» 55
E esto dizendo, chorar oyu
a menynna, e as portas abryu
e fillou-a nos braços mui viaz,
Miragres muitos pelos reis faz...

Chorand' e dizendo: «Bẽeita tu 60
es, mia Sennor, que pariste Jhesu
Cristo; e poren, cada logar u
for ta eigreja, ben ata en Raz,
Miragres muitos pelos reis faz...

Darei do meu.» E ben assi o fez; 65
e levou ssa filla daquela vez,
que deu nas Olgas, logar de bon prez,
malgrad' end' aja o demo malvaz.
Miragres muitos pelos reis faz...

Bibliografía

Valmar, *Extractos,* VI; H. Anglés, III, 1.ª, 284, 420; Mettmann, II, 12; Filgueira, pág. 206; J. Snow, núms. 34, 328.

Vocabulario

23. 'e de paz' y de paz (distinguiéndola de las de guerra u Órdenes militares).
31. 'na az' en el número (de los muertos); conjunto, escuadrón.
46. 'choyr' cerrar, echar los cerrojos; tapar.
47. 'carpir' arañarse el rostro en señal de duelo (gestos extremos que fueron prohibidos por la Iglesia, pero que

sin embargo se permitían en el duelo de personas importantes).
48. 'anfaz' velo (que cubría el rostro).
54. 'prumaz' (voz no muy aclarada, pero relacionada con los signos externos de duelo o penitencia), tela burda, sayal.
55. 'anadiu' sudario (Filgueira).
58. 'viaz' con rapidez.
64. 'Raz' Arras (Francia). Lugar muy conocido en la España Medieval por sus ferias y mercados.

Comentario

Se trata de una de las cantigas denominadas autobiográficas y se refiere a la reanimación de una niña recién nacida, su hermana Berenguela, hija de don Fernando III y doña Beatriz de Suabia, que con el tiempo sería Señora de Las Huelgas de Burgos. Esta infanta sobrevivió al rey Alfonso y experimentó el destierro, ordenado por el infante don Sancho, su sobrino.

Versión

Cómo Santa María resucitó a una infanta, hija de un rey, que depués fue monja y muy santa mujer.

Razón: Muchos milagros opera Santa María en favor de los reyes por su liberal voluntad.

Cantar: Sobre esto os narraré un milagro que presencié en Toledo y que la Virgen hizo en su capilla, donde, creedme, hace muchos milagros. Esta capilla se encuentra en el Alcázar donde la fe se asentó y es de Santa María; en su interior hay una imagen hecha al modo de parturienta, acostada. La hizo pintar el Emperador, aquel que fue señor de toda España; pero el buen rey don Fernando la hizo pintar mejor, no sólo el cuerpo sino también la cara.

A este rey le nació una hija, que fue prometida a Santa María y ofrecida desde ese momento al Císter, que es Orden santa y de paz. En consecuencia su madre la educó para llevarla a Las Huelgas de Burgos; pero he aquí que la niña enfermó y murió, por lo que su ama de cría tuvo gran pesar, temiendo morir ella también de dolor; contóselo luego a su madre y ésta hizo cuanto hacen las que sienten el dolor de la muerte de una hija: inmediatamente fue a recoger su cuerpo y dijo:

«Pues la Virgen, a quien te ofrecí, no ha querido que vivas, sino que quiso contarte entre el número de los muertos, por mis pecados, te dejaré ante los pies de su imagen de Madre de Dios.»

Y así lo hizo, por san Bonifacio. Hizo salir a todos de la capilla y mandó echar los cerrojos; las dueñas que allí estaban comenzaron a arañarse el rostro y ella llorando se cubrió con un velo y dijo:

«Jamás me apartaré de esta puerta, pues sé con toda certeza que la Madre del buen Rey me devolverá viva a mi hija; si no, llevaré como duelo un 'prumaz' (sayal) o un sudario.»

Diciendo esto oyó llorar a la pequeña y abriendo las puertas la cogió con toda rapidez entre sus brazos, llorando y diciendo:

«Bendita tú eres, Señora mía, que diste a luz a Jesucristo; por esto daré de lo mío a todas tus iglesias, allí donde estén, desde aquí hasta Arrás.» Y bien que lo hizo; y en aquella ocasión se llevó a su hija, que había ofrecido a Las Huelgas, lugar honrado, a pesar de la mala voluntad del malvado demonio.

22*

[ESTA É DE LOOR DE SANTA MARIA.]

Quen entender quiser, entendedor
seja da Madre de Nostro Sennor.

Ca ela faz todo ben entender,
e entendendo nos faz connocer 5
Nostro Sennor e o seu ben aver
e que perçamos do demo pavor,
Quen entender quiser, entendedor...

En cujo poder outras donas van
mete-los seus, e coita e afan 10
lles fazen soffrer, atal costum' an;
poren non é leal o seu amor.
Quen entender quiser, entendedor...

As outras fazen ome seer fol
e preçan-ss' ende, assi seer sol; 15
mais esta nos dá sis' e faz-nos prol
e guarda-nos de faze-lo peyor.
Quen entender quiser, entendedor...

---

* *(E* 130 *T* 130). Siete estrofas singulares: A10 A10 b10 b10 b10 a10. Virelai.

Melodía robusta de cantiga; popular y muy religiosa. H. Anglés, III, 1.ª, 287. Obsérvese la anáfora «as outras» y su valor estilístico.

As outras dan seu ben fazendo mal,
e esta dando-o senpre mais val; 20
e queno gaannad' á, non lle fal,
senon se é mui mao pecador.
Quen entender quiser, entendedor...

As outras muitas vezes van mentir,
mas aquesta nunca nos quer falir; 25
e porende, quen sse dela partir
Deu-lo cofonda, per u quer que for.
Quen entender quiser, entendedor...

As outras nos fazen muit' esperar
polo seu ben e por el lazerar, 30
mas esta non quer con seu ben tardar
e dá-nos ben d' outros bẽes mayor.
Quen entender quiser, entendedor...

E poren seu entendedor serei
enquant' eu viva, e a loarei 35
e de muitos bẽes que faz direi
e miragres grandes, ond' ei sabor.
Quen entender quiser, entendedor...

Bibliografía

Valmar, XVI, 3; H. Anglés, III, 1.ª, 211 (Spanke), 287 y 420; Mettmann, I, 468; Filgueira, 220; J. Snow, 98, 256, 324, 354.

Vocabulario

9. «van // mete-los», 'los meten' (más abajo: «van mentir», 'mienten').
27. «per u quer que for», 'por donde quiera que vaya'.
34. «seu entendedor», 'su amante' (derivado de «entender», 'tener hombre y mujer alguna relación de carácter amoroso recatadamente, sin querer que aparezca en público.' *DRAE,* acp. 11).

Comentario

Cantiga en la que se nos invita a servir a Nuestra Señora. En ella se exalta el «amor divino» de María, mientras se desprecia el «amor humano». Recuerda, un poco, el «fals' amor» de Marcabru (M. de Riquer, *Trovadores,* I, 172-175). Se utiliza el término trovadoresco de «entender» (vb.) y «entendedor» (sust.). El «entender» equivale aquí a «conocer» en el sentido evangélico («Yo conozco mis ovejas y mis ovejas me conocen a Mí» *Jn* 10, 14), de amar a nuestro Señor y cuyos efectos son obtener la gracia divina y perder el miedo al demonio.

En la Biblia (cfr. Os. 2, 22) el 'conocimiento' no procede de una actividad puramente intelectual, sino de una 'experiencia', de una presencia (compárese *Jn* 10, 14-15 y 14-20; 21-22; cfr. 14, 17; 17, 3; 2 *Jn* 1-2) que acaba necesariamente en el amor (cfr. *Os.* 6, 6 y 1 Jn 1, 37).

El concepto de amor carnal, o amor a la dama, es un concepto pesimista, pues dice que nos pone bajo el dominio del demonio. Opone el amor sensato frente al loco amor; el mérito frente al demérito; la verdad y la lealtad frente a la deslealtad; la prontitud de su galargón frente al galardón tardío y penoso de la dama terrenal.

Termina la cantiga con una declaración personal de Alfonso X, quien, repitiendo lo que en otras ocasiones («seu trobador» *Pr.* B, *E* núm. 10, núm. 279), se dice entendedor de María mientras viva y su propósito de alabarla y decirle toda clase de bienes, narrando sus grandes milagros.

Versión

Ésta es de loor de Santa María.

Razón: Quien quisiera entender, entendedor
sea de la Madre de Nuestro Señor.

Cantar: Pues Ella nos hace entender todo y entendiéndolo nos hace conocer a Nuestro Señor y su gracia obtener y que perdamos del demonio el pavor, en cuyo poder otras damas meten a los suyos, y ansias y penas les hacen sufrir, pues tal es su costumbre; por lo que su amor no es leal.

Las otras hacen a los hombres enloquecer y de ello se precian, habitualmente; pero Ésta nos da seso y provecho y nos guarda de hacer lo peor.

Las otras al dar su bien, hacen mal, y Ésta dándonoslo vale mucho más; y, a quien lo ha ganado, nunca le falla, a no ser que sea un pecador.

Las otras muchas veces mienten, pero Ésta nunca nos quiere fallar; y, por tanto, a quien de Ella se quiera apartar, Dios lo confunda, por donde quiera que vaya.

Las otras nos hacen mucho esperar para obtener su galardón, y sufrir mucho por él, pero Ésta no quiere tardar con su galardón y nos lo da mayor que otros galardones.

Y por tanto seré 'entendedor' suyo mientras viva, y la alabaré, y las muchas bondades que hace, y sus grandes milagros, en los que me complazco, contaré.

23*

COMO UN CAVALEIRO D' ALEIXANDRIA FOI MALFEITOR, E QUANDO VẼO A VELLECE, REPENTIU-SSE E FOI A UN SANTO HERMITAN CONFESSAR-SSE; E EL DISSE-LLE QUE JAJŨASSE, E O CAVALEIRO DISSE QUE NON PODIA.

Ali u a pẽedença / do pecador vai minguar 5
accorre Santa Maria / a quena sabe rogar.

Du o pecador promete / de seer amigo de Deus
e se partir de pecado / e enmendar tortos seus
e o non compr', é perdudo, / *segun* conta San Mateus;
mas Santa Maria pode / tod' aquest' enderençar. 10
Ali u a pẽedença / do pecador vai minguar...

Ca seu Fillo faz por ela / mais que por null' outra ren;
e porend' as nossas culpas / enmenda por nos mui ben,
que non sejamos perdudos; / e por est' é de bon sen
quena ama e [a] serve / e sabe en ela fiar. 15
Ali u a pẽedença / do pecador vai minguar...

En terra d' Aleyxandria / ouve un mui malfeitor
cavaleiro, mui sobejo / e mui brav' e roubador;
mais pois vẽo a vellece, / sentiu-sse por pecador

* *(E* 155 *T* 155). Trece coblas singulares, con encabalgamiento interestrófico de las estr. VIII-IX, X-XI, XII-XIII. N7 A7 N7 A7 / n7 b7 n7 b7 n7 b7 n7 a7. Esquema Huseby: AA bbba. Virelai.

e foi a un ome santo / seus pecados confessar. 20
Ali u a pẽedença / do pecador vai minguar...

El deu-lle por pẽedença / que a Ultramar romeu
fosse, e el respondeu-lle: / «Esto vos non farei eu.»
«Pois jajũade.» «Non posso.» / Disse-lle: «Par Sant'
[Andreu,
nen esmolna non faredes?» / «Non, ca non tenno
[que dar.» 25
Ali u a pẽedença / do pecador vai minguar...

Quando viu aquel sant' ome / que non podia fazer
aquelo que l' el mandava, / disse-ll': «Ide-mi trager
este pichel chẽo d' agua, / e podedes log' aver
perdon de vossos pecados, / sen null' outr' afan
[levar.» 30
Ali u a pẽedença / do pecador vai minguar...

Quand' o vello, de pecados / carregad', *aquest' oyu,*
mui[t]' alegre do sant' ome / atan toste s' espedyu
e con seu pichel por agua / foi; mais ela lle fugiu
dũa fonte, que sol gota / non pude dela fillar. 35
Ali u a pẽedença / do pecador vai minguar...

Mas foi-sse log' a un rio / que corria preto d' y,
ar fugiu-lle log' a agua, / per quant[o] eu aprendi;
e assi passou dous anos, / per com' eu escrito vi,
que agua coller non pude, / nen sol bever nen
[gostar. 40
Ali u a pẽedença / do pecador vai minguar...

E dous anos provou esto, / que nunca pod' avĩir
d'aquel pichel encher d' agua / neno mandado conprir
que ll' o hermitan mandara; / e fillou-ss' a comedir
que Deus per ren non queria / seus pecados perdõar, 45
Ali u a pẽedença / do pecador vai minguar...

Mas que por Santa Maria / podia aver perdon,
se a serviss' e posesse / en ela seu coraçon;
enton rogou-lle chorando, / des.i pediu-lle por don
que aquele pichel d'agua / podesse chẽo levar. 50
Ali u a pẽedença / do pecador vai minguar...

E disse-lle: «Sennor, roga / a teu Fillo, se te praz,
que a mi fazer non queira / o que a beschas non faz
nen a aves.» E aquesto / dizia chorand' assaz,
e a seu pichel catando, / ouv' en duas a chorar 55
Ali u a pẽedença / do pecador vai minguar...

Lagrimas dentro, e chẽo / foi o pichel dessa vez;
e el quando viu aquesto, / atan alegre sse fez,
que ao ermitan foi log / e diss': «A Sennor de prez,
Madre de Deus, me fez esto / por me de coita tirar, 60
Ali u a pẽedença / do pecador vai minguar...

Que de mias lagrimas duas / enchi tod' este pichel.»
Quando viu o hermitano / este miragre tan bel,
loou muit' a Virgen santa, / de Deus Madr' e Manuel,
e fez per toda a terra / este miragre mostrar, 65
Ali u a pẽedença / do pecador vai minguar...

De que foi Santa Maria, / a Sennor espirital,
loada muito de todos, / que aos coitados val
senpre nas mui grandes coitas / e ar guarda-os de mal;
poren Deus muito cofonda / quena non quiser loar. 70
Ali u a pẽedença / do pecador vai minguar...

Bibliografía

Valmar, *Extractos*, I, 6; H. Anglés, III, 1.ª, 293 y 420; Mettmann, I, 532; Filgueira, 259; J. Snow, núms. 34, 150.

Vocabulario

9. «Segun conta San Mateus», = Mt. 3, 2; 4, 17.
18. «mui sobeio», 'muy insolente'.
22. «a Ultramar romeu», 'romero a Tierra Santa'.
29. «pichel», 'vaso para sacar o beber vino'.

Comentario

La cantiga alaba las lágrimas de penitencia. Está dentro de aquel grupo de cantigas que exaltan la virtud de la penitencia (sacramental y corporal). Enlaza, además, con la leyenda de las diversas peregrinaciones de un lugar a otro, en este caso sustituidas por el simbólico «pichel» ('puchero' o 'jarra') que hay que llenar de agua, lo que el caballero de Alejandría no pudo conseguir ni en una fuente, ni en un río. Pensando que Dios no quería perdonarlo —al no cumplir la penitencia originaria— suplica a María con lágrimas en los ojos que interceda ante Dios y entonces bastan dos lágrimas para llenar el jarro.

En esta expresión de penitencia íntima, de signo de contricción verdadera, ve Le Goff un cambio de la espiritualidad ritualista a la personal y afectiva *(Lo maravillo y lo cotidiano,* ob. cit.).

Versión

Cómo un caballero de Alejandría fue un malhechor, y cuando llegó a viejo, se arrepintió y fue a confesarse a un santo ermitaño y éste le dijo que ayunase y el anciano caballero dijo que no podía.

Razón: Allí donde la penitencia del pecador va a ser escasa Santa María, a quien se la sabe rogar, ayuda a completarla.

Cantar: Cuando el pecador promete ser amigo de Dios y apartarse del pecado y enmendar sus yerros y no lo cumple, está perdido, según consta en San Mateo; pero Santa María puede enderezar todo esto.

Pues su Hijo hace por Ella más que por ninguna otra; y por esto enmienda nuestras culpas muy bien para que no nos perdamos; y por esto es de buen sentido quien la ama y la sirve y sabe confiar en Ella.

Existió en tierra de Alejandría un malhechor caballero, muy soberbio y muy altanero y ladrón; pero después que llegó a la vejez, se supo pecador y fue a un hombre santo a confesar sus pecados.

Y le dió por penitencia que fuese como romero a Ultramar, y le respondió: «Esto no os lo cumpliré yo.» «Entonces, ayunad.» «No puedo.» Y le dijo: «Por san Andrés, ¿ni limosna haréis?» «No, pues no tengo qué dar.»

Cuando vio este santo varón que no podía hacer lo que le mandaba, le dijo: «Id y traedme este puchero lleno de agua, y podréis obtener así el perdón de vuestros pecados, sin otra penitencia.»

Cuando el viejo, cargado de pecados, oyó esto, se despidió enseguida del santo hombre con gran alegría y con su puchero fue a por agua; pero ésta le huyó en una fuente, donde no pudo coger gota; se fue luego a un río que corría junto al lugar, y también le huyó el agua, según supe; y así pasó dos años, según está escrito, en los que no pudo coger agua, ni aún beber, ni gustar.

Y lo intentó esto dos años, sin que pudiera llenar de agua el puchero y sin cumplir lo mandado por el ermitaño; y comenzó a pensar que Dios no quería perdonar sus pecados, pero que podría obtener perdón por santa María si la servía y pusiese en ella su corazón; entonces le rogó llorando, y le pidió como don que pudiese llevar aquel puchero lleno de agua. Y le dijo: «Señora, ruega a tu Hijo, si te place, que no quiera hacer conmigo lo que ni a las bestias ni a las aves hace.» Y esto lo decía llorando abundantemente, y, mirando hacia su puchero, ocurrió que lloró dos lágrimas dentro, y se llenó entonces el puchero; y él, al ver esto, se puso tan contento, que fue inmediatamente al ermitaño y le dijo: «La Señora de todo mérito, hizo esto por mí, para librarme de mi angustia, que con sólo dos lágrimas mías llené todo el puchero.»

Cuando el ermitaño oyó este tan bello milagro alabó mucho a la Virgen Santa, Madre del Dios Manuel, y divulgó por toda la región el hecho maravilloso por el que fue alabada por todos Santa María, la Señora espiritual, que a los angustiados vale siempre en todas sus cuitas y también los guarda de mal; por tanto, confunda Dios a quien no la quiera alabar.

24*

ESTE MIRAGRE FEZ SANTA MARIA EN CUNNEGRO POR UN CRERIGO QUE CANTAVA MUI BEN AS SAS PROSAS A SSA LOOR, E PRENDÉRONO EREGES E TALLARON-LL' A LINGUA.

A Madre do que de terra / primeir' ome foi fazer
ben pod' a lingua tallada / fazer que possa crecer. 5

Dest' un mui maravilloso
miragre vos contarey,
que fez, e mui piadoso,
a Madre do alto Rei
por un crerigo, que foran / a furt' ereges prender 10
porque de Santa Maria / sempr' ya loor dizer.
A Madre do que de terra / primeir' ome foi fazer...

Poilo ouveron fillado,
quisérano y matar;
mais, polo fazer penado 15
viver, foron-lle tal[l]ar
a lingua ben na garganta, / cuidando-[o] cofonder,
porque nunca mais da Virgen / fosse loor compõer.
A Madre do que de terra / primeir' ome foi fazer...

---

* *(E* 156 *T* 156). Siete coblas singulares de siete y catorce sílabas más refrán: N7 A7 N7 A7 / b7 c7 b7 c7 n7 a7 n7 a7. Huseby *(Ap.* 2 y 5) opina que debería editarse con versos largos, rimas internas y cesura: AA / bbaa. Virelai.

Pois que ll'a lingua tallaron, 20
leixárono assi yr;
e mui mal lle per jogaron,
ca non podia pedir
nen cantar como cantara / da que Deus quiso nacer
por nos; e con esta coita / cuidava o sen perder. 25
A Madre do que de terra / primeir' ome foi fazer...

E o quc mais grave ll' cra,
que quando oya son
dizer dos que el dissera,
quebrava-ll' o coraçon 30
porque non podia nada / cantar, ond[e] gran prazer
ouvera muitas vegadas, / e fillava-ss' a gemer.
A Madre do que de terra / primeir' ome foi fazer...

El cuitad' assi andando,
un dia foi que chegou 35
a Cunnegro, e entrando
na eigreja, ascuitou
e oyu como cantanvan / vesperas a gran lezer
da Virgen Santa Reỹa; / e quis con eles erger
A Madre do que de terra / primeir' ome foi fazer... 40

Sa voz, e ssa voontade
e ssa punna y meteu.
E log' a da gran bondade
fez que lingua lle naceu
toda nova e comprida, / qual ante soy' aver; 45
assi esta Virgen Madre / lle foi conprir seu querer.
A Madre do que de terra / primeir' ome foi fazer...

Esto viron muitas gentes
que estavan ęnton y,
e meteron mui ben mentes 50
no miragre, com' oý;
e a Virgen poren todos / fillaron-s' a bẽeizer,

e o crerigo na orden / dos monges se foi meter.
A Madre do que de terra / primeir' ome foi fazer...

Bibliografía

Valmar, *Extractos*, IV; H. Anglés, III, 1.ª, 294, 420; Mettmann, II, 156; Filgueira, pág. 261; J. Snow, núms. 150, 346.

Vocabulario

1. 'Cunnegro', Cluny (Francia).
10. 'a furto' por sorpresa.
18. 'loor componer', es decir, componer 'prosas a sa loor'; himnos de loor.
22. 'mui mal lle per jogaron'; 'per' intensivo. Le jugaron una muy mala pasada.
39. 'a gran lezer' con gran sosiego, pausadamente.

Comentario

Se trata de un clérigo (hombre de letras) que solía componer y cantar 'loores' en honor de Santa María. Unos herejes lo cogieron por sorpresa y en vez de matarlo, se vengaron de la religión y de él cortándole la lengua.

Al perder el medio con que solía vivir estuvo a punto de perder el juicio. Pero mucho más, cuando oía a otros cantar como él solía hacerlo.

Un día, en Cluny, mientras escuchaba a los monjes cantar vísperas se esforzó cuanto pudo y recobró la voz pudiendo comprobar que volvía a tener lengua.

Versión

Este milagro lo hizo Santa María en Cluny, en favor de un clérigo que cantaba muy bien sus 'himnos de loor' y unos herejes lo prendieron y le cortaron la lengua.

Razón: La madre de aquel que hizo el primer hombre,
bien puede hacer crecer la lengua cortada.

Cantar: Sobre esto os contaré un portentoso y muy piadoso milagro que hizo la Madre del gran Rey en favor de un clérigo que unos herejes cogieron por sorpresa porque solía cantar siempre 'loores' de Santa María.

Una vez cogido lo quisieron matar al punto, pero para hacerle la vida más penosa le cortaron la lengua de raíz (desde la garganta), procurándolo confundir de tal manera, que en adelante no pudiese componer himnos de loor a la Virgen.

Después que le cortaron la lengua lo dejaron ir; y en verdad que le jugaron una muy mala pasada, pues no podía pedir, ni cantar como antes cantaba de la Madre de quien por nosotros quiso nacer, Dios. Y con esta inquietud pensó perder el juicio.

Pero cuando más pesar tenía era al oír aquella melodías que él solía intepretar; entonces se le quebraba el corazón al no poder cantar lo que en otro tiempo le había causado gran placer, y se ponía a llorar.

El desgraciado, yendo así por la vida, ocurrió que un día llegó a Cluny y entrando en la iglesia escuchó y oyó cómo cantaban Vísperas de la Virgen con sosiego (devoción), y quiso levantar su voz con ellos poniendo gran voluntad y esfuerzo en ello. Entonces la que es todo bondad hizo que le naciese la lengua totalmente nueva y completa, cual antes la solía tener; de este modo la Virgen Madre le satisfizo su deseo.

Esto lo vieron muchas gentes que en aquel momento estaban allí, y observaron el milagro ocurrido, según tengo oído; en consecuencia todos comenzaron a bendecir a la Virgen y el clérigo se metió a monje.

25*

[ESTA É DE LOOR DE SANTA MARÍA.][1]

Quen bõa dona querrá
loar, lo' a que par non á,
Santa Maria.

E par nunca ll' achará, 5
pois que Madre de Deus foi ja.
Santa Maria.

Pois Madre de Deus foi ja,
e Virgen foi e seerá.
Santa Maria. 10

E Virgen foi e seerá;
porende cabo del está.
Santa Maria.

Poren cabo del está,
u sempre por nos rogará. 15
Santa Maria.

---

* *(E* 160 *T* 160). Ocho coblas originales de dos versos con un refrán (o estribillo) de cuatro sílabas que no rima con ninguna de las estrofas o coblas (palavra perduda) a7 a7 N4' *(Vid.* Spanke en H. Anglés, III, 1.ª, 193-198). Melodía lírica, profundamente religiosa; una de las mejores del repertorio, calificada como canción con refrán por H. Anglés (III, 1.ª, 420).

[1] Optamos por la redacción de *T* 160, en la que se propone como refrán sólo «Santa María».

U por nos lle rogará
e del perdon nos gäará.
Santa Maria.

E perdon nos gäará 20
e ao demo vencerá.
Santa Maria.

E o demo vencerá
e nos consigo levará.
Santa Maria. 25

Bibliografía

Valmar, *Extractos*, XVI, 4; H. Anglés, III, 1.ª, 196 (Spanke), Mettman, I, 543; Filgueira, 266, J. Snow, núms. 320, 354.

Comentario

Delicada cantiga de forma litánica, de amplia tradición litúrgica hispánica. Spanke hace un seguimiento de esta tradición partiendo de himnos latinos hasta llegar a modelos romances gallegos-portugueses y catalanes.

El refrán (o estribillo) sería el verso corto de rima *stramps* ('palavra perduda') y sería cantado por el coro en diálogo con el solista (Anglés). Se da un claro encadenamiento interestrófico o *leixa-pren:* 'par' I-II, «foi e seerá' II-III, 'cabo del está' III-IV, 'gaará' V-VI, 'vencerá' VI-VII. Estos versos unidos dan lugar a un acróstico cuya lectura es la siguiente:

> que par non á (I) e par nunca ll' achará (II) Madre de Deus foi ja (III) Virgen foi e será (IV) poren cab del esta (V) u sempre per nos rogará (VI) e dél perdon nos gaará (VII) e ao demo vencerá (VIII) e nos consigo levará (IX).
> [La que no tiene igual e igual nunca le hallarán Madre de Dios ha sido, Virgen fue y será. Por lo cual junto a

Él está, en donde rogará por nosotros y nos conseguirá el perdón y al demonio vencerá.]

Es una de las cantigas de invitación a alabar a María la «dama» mejor que se puede encontrar.

La *Lámina* 175 (G. Lovillo) es una narración plástica de estas verdades o títulos marianos (Madre de Dios / Virgen / Hija de Dios / Intercesora de los humanos / Vencedora de Satán). El rey se muestra en ella como predicador o trovador de María *(Vid.* Ana Domínguez, «Poder, ciencia, y religiosidad en la miniatura de Alfonso X el Sabio», *Fragmentos,* 2, 33-46). A. Domínguez interpreta la miniatura núm. 2 como la Virgen de la leche, modalidad de la Virgen de la humildad de gran tradición europea.

Versión

Quien a buena dama querrá
alabar, alabe a quien igual no ha
Santa María.
Y par nunca le hallará
porque Madre de Dios fue ya.
Santa María.
Pues Madre de Dios fue ya,
y Virgen fue y será,
Santa María.
Y Virgen fue y será;
por lo que junto a Él está,
Santa María.
Por lo que junto a Él está,
quien siempre por nos rogará,
Santa María.
A quien por nos rogará
y de Él perdón obtendrá
Santa María.
Y perdón nos ganará
y al demonio vencerá
Santa María.
Y al demonio vencerá
y consigo nos llevará
Santa María.

26*

ESTA É DUN MIRAGRE QUE FEZO SANTA MARIA POR HŨA SA EIGREJA QUE É ENA ARREIXACA DE MURÇA, DE COMO FORON MOUROS ACORDADOS DE A DESTROIR E NUNCA O ACABARON.

A que por nos salvar / fezo Deus Madr' e Filla, 5
se sse de nos onrrar / quer non é maravilla.

E daquest' un miragre / direi grande, que vi
des que mi Deus deu Murça, / e oý outrossi
dizer a muitos mouros / que moravan ant' y 10
e tĩian a terra / por nossa pecadilla,
A que por nos salvar...

Dũa eigrej' antiga, / de que sempr' acordar
s' yan, que ali fora / da Reÿa sen par
dentro na Arreixaca, / e yan y orar 15
genoeses, pisãos / e outros de Cezilla.
A que por nos salvar...

* *(E* 169 *T* 169). Doce coblas singulares A6 B6 A6 B6 / c13 c13 c13 b13. Huseby *(Ap.* 2 y 3) es de la opinión de convertir en versos dodecasílabos femeninos, con rima interna, el refrán, según el siguiente esquema: A A / b b b a. Virelai.

169

Esta é d'un miragre que fezo Santa Maria por hũa sa eigreja que é en a arreixaca de Murça, de como foron mouros acordados de a destroir et nunca o acabaron.

A^6	B^6	A^6	B^6	n^6	c^6	n^6	c^6	n^6	c^6	n^6	b^6
α	β	γ	δ	ε	ζ	ε	ζ	α	β'	γ	δ

E_2, 169, f. 225 *c-d*
E_1, 169, f. 161 *b-c*

A que por nos sal - var fe - zo Deus madr'e
fi - lla, se sse de nós on - rrar quer, non é ma-ra -
vi - lla. E d'a-quest' un mi - ra-gre di-rei, gran - de,
que vi des que mi Deus deu Mur-ça, et o - y ou-tros -
si di-zer a mui-tos mou-ros que mo - ra - van ant'
y et ti-i - nnan a ter-ra[1] por nos-sa pe-ca - di - lla.

1) La notación musical de E_1, E_2 se presenta para cantar un verso *agudo* de 6 sílabas como en el estribillo, pero dado que todas las estrofas dan un verso *llano* de 6 sílabas, nos hemos visto obligados a separar las notas de la última ligadura binaria de este verso.

E davan sas ofertas, / e se de coraçon
aa Virgen rogavan, / logo sa oraçon
deles era oyda, / e sempre d' oqueijon 20
e de mal os guardava; / ca o que ela filla
A que por nos salvar...

Por guardar, é guardado. / E porende poder
non ouveron os mouros / per ren de mal fazer
en aquel logar santo, / nen de o en toller, 25
macar que xo tĩian / ensserrad' en sa pilla.
A que por nos salvar...

E pero muitas vezes / me rogavan poren
que o fazer mandasse, / mostrando-mi que ben
era que o fezesse, / depois per nulla ren, 30
macar llo acordaron, / non valeu hũa billa.
A que por nos salvar...

E depois a gran tempo / avẽo outra vez,
quand' el Rei d' Aragon, / Don James de gran prez,
a eigreja da See / da gran mezquita fez, 35
quando ss' alçaron mouros / des Murç' ata Sevilla;
A que por nos salvar...

Que enton a Aljama / lle vẽeron pedir
que aquela eigreja / fezessen destroir
que n' Arraixaca era; / e macar consentir- 40
o foi el, non poderon / nen tanger en cravilla.
A que por nos salvar...

Depo[i]s aquest' avẽo / que fui a Murça eu,
e o mais d' Arreixaca / a Aljama mi deu
que tolless' a eigreja / d' ontr' eles; mas mui greu 45
me foi, ca era toda / de novo pintadilla.
A que por nos salvar...

Poren muit' a envidos / enton llo outorguei,
e toda a Aljama / foi ao mouro rei
que o fazer mandasse; / mas diss' el: «Non farei, 50
ca os que Mariame / desama, mal os trilla.»
A que por nos salvar...

Depois, quand' Aboyuçaf, / o sennor de Çalé,
passou con mui gran gente, / aquesto verdad' é
que cuidaron os mouros, / por eixalçar ssa fe, 55
gãar Murça per arte. / Mais sa falss' armadilla
A que por nos salvar...

Desfez a Virgen santa, / que os ende sacou,
que ena Arraixaca / poucos deles leixou;
e a sua eigreja / assi deles livrou, 60
ca os que mal quer ela, / ben assi os eixilla.
A que por nos salvar...

E porend' a eigreja / sua quita é ja,
que nunca Mafomete / poder y averá;
ca a conquereu ela / e demais conquerrá 65
Espanna e Marrocos, / e Ceta e Arcilla.
A que por nos salvar...

Bibliografía

Valmar, *Extractos,* VIII, 5; Anglés, III, 297 y 421; Mettmann, I, 560; Filgueira, 277; J. Snow, 82, 200, 214, 233, 256, 297, 315, 320, 373.

Vocabulario

11. «pecadilla», 'culpa'.
14. «yan», vb. «ir», 'iban'.
20. «oqueijon», 'desgracia, desastre'.
26. «pilla», 'pilada, hacinamiento' (Palabra rima que también es usada en *CSM* 19 con el significado de 'dominio').

31. «billa», 'pequeña bola'.
36. «quando ss'alçaron mouros des Murç' ata Sevilla». Alusión al levantamiento de los mudéjares (1264-65).
41. «cravilla», diminutivo de «cravo», 'clavillo'.
48. «a envidos», 'de mala gana'.
56. «armadilla», 'celada'.

Comentario

Cantiga de las denominadas históricas que relata la suerte que corrió la antigua iglesia construida en el barrio de la Arreixaca, ubicación que no podían soportar los islámicos, habitantes del barrio, quienes propusieron a los distintos príncipes cristianos, que se hicieron cargo de Murcia (el príncipe don Alfonso [1243], el rey don Jaime [1266] y don Alfonso, ya rey [1266-1284]), que la trasladasen de aquel lugar. Este último, congruente con su política de coexistencia, permitió que procedieran a su derribo, pero fue entonces el rey moro Al-Wadid, al parecer, quien se opuso. Probablemente influirían en él motivos supersticiosos o, quizás, también políticos, como la cantiga insinúa.

A pesar de este gesto de buena voluntad y, posiblemente, después de las varias incursiones de Abu Yusuf ben Yaqub, el benimerín, Alfonso optó, como en el caso de Xerez *(Cantigas de Santa María* 345), por expulsar a los moros del barrio, evitando así que en el futuro se pudiese repetir la petición aludida *(Crón. Alfonso Décimo,* cap. XX).

Las tres últimas estrofas transcienden el hecho o la anécdota y atribuyen a María no sólo la victoria sobre la invasión de los benimerines, sino que hablan de la expulsión definitiva de los mahometanos de España y aun la conquista de Marruecos, Ceuta y Arcila, es decir, el norte de África, objetivo de la corona de Castilla desde tiempos de Fernando III el Santo.

Versión

Ésta es de un milagro que obró Santa María en favor de una iglesia que está en la Arrixaca de Murcia, de cómo se pusieron de acuerdo los moros en destruirla y nunca lo consiguieron.

Razón: Si la que Dios, por salvarnos, la hizo su Madre y su Hija
quiere que sea honrada de nosotros, no es maravilla.

Cantar: Y sobre esto os diré un milagro grande, que vi desde que Dios me dio Murcia, y aun lo oí decir a muchos moros que antes moraban allí y tenían la tierra por nuestra culpa; acerca de una antigua iglesia que allí existía, dentro de Arrixaca, dedicada a la Reina sin par, sobre la que querían llegar a un acuerdo y a la que solían ir a orar genoveses, pisanos y otros de Sicilia. Y a la que daban sus ofrendas, y si de corazón rogaban a la Virgen, inmediatamente era oída su oración, y siempre de peligros y de mal los libraba; pues, cuanto Ella toma a su cuidado es guardado de verdad. Y por esto no tuvieron los moros en absoluto poder de hacer mal a aquel lugar santo, ni de hacerlo desaparecer, a pesar de que lo tenían en su dominio. Pues, aunque muchas veces me rogaron que lo mandase hacer, demostrando que era bueno que lo hiciese, después, aun habiéndolo acordado, no les sirvió ni un comino.

Al mucho tiempo sucedió de nuevo, cuando el Rey de Aragón, don Jaime el de gran mérito, hizo la Iglesia de la Sede en el lugar de la mezquita, cuando se alzaron los moros desde Murcia hasta Sevilla; entonces, la Aljama le vino a pedir que aquella iglesia que estaba en la Arrixaca la mandase destruir; y a pesar de que él lo consintió, no la pudieron tocar ni un solo clavo.

Después de esto ocurrió que yo fui a Murcia y los mayores de la Arrixaca, la Aljama, presentaron (su petición) de que quitase de entre ellos la Iglesia; lo que me resultó muy penoso, porque estaba toda pintada de nuevo. Por eso muy de mala gana, se lo concedí, y toda la Aljama se fue al rey moro para que ordenase hacerlo; pero entonces dijo él: «No lo haré, porque a quienes María desama, mal los pisotea.»

Después, cuando Abu Yusuf, señor de Salé, pasó con tan gran gente que los moros pensaron, para exaltar su fe, ganarían con artimañas Murcia, conocida su artera celada, la Virgen Santa la deshizo, pues los sacó de allí, y dejó muy pocos de ellos en la Arrixaca; y así libró a su iglesia de ellos, pues los que Ella quiere mal, los aparta en el exilio. Y por tanto la iglesia suya ya es exenta, hasta tal punto que Mahoma no tendrá poder en ella; pues la conquistó y además conquistará España y Marruecos, y Ceuta y Arcila.

27*

ESTA É DUN MENŶO DE ALCARAZ A QUE SEU PADRE DERA HŨA MULETA, E MORREU-LLE; E ENCOMENDOU-A A SANTA MARIA DE SALAS, E LEVANTOU-SSE SÃA.

A que faz o ome morto / resurgir sen nulla falla,
ben pode fazer que viva / outra morta animalla. 5

Desto mostrou un miragre / a Madre do Salvador,
mui grande, por un menŷo / que fillo dun lavrador
era; e poi-lo oyrdes, / averedes en sabor
e loaredes a Virgen / que senpre por nos traballa.
A que faz o ome morto / resorgir sen nulla falla... 10

Ao lavrador nacera / muleta, com' aprix eu,
en ssa casa, fremosŷa, / que log' a seu fillo deu,
e faagando-o muito, / dizendo: «Este don teu
seja daquesta muleta, / e dar-te-ll-ei org' e palla.»
A que faz o ome morto / resorgir sen nulla falla... 15

O moço creeu aquesto / e prougue-lle daquel don,
e penssou ben da muleta / quanto pude des enton;
mas hũa noite morreu-lle, / e por aquesta razon
levou o padre seu fillo / por non saber nemigalla
A que faz o ome morto / resorgir sen nulla falla... 20

---

* (*E* 178 *T* 178). Nueve coblas singulares: N7 A7 N7 A7/ n7 b7 n7 b7 n7 b7 n7 a7. Virelai. Tonada de aire popular (H. Anglés). Encabalgamiento sintáctico (III y IV, VIII y IX).

Ao ero u lavrava. / Mas la madre, que ficou
na casa, aquela *mua* / morta logo a fillou
e chamou un seu colaço / e esfola-la mandou,
cuidando aver do coiro / cinco soldos e mealla.
A que faz o ome morto / resorgir sen nulla falla... 25

Eles en esto estando, / o lavrador foi chegar
do ero, e o menynno / viu ssa mua esfolar
e diss' a mui grandes vozes: / «Leixad' a mua estar,
ca eu a dei ja a Salas, / e ben tenno que me valla.»
A que faz o ome morto / resorgir sen nulla falla... 30

A muleta ja avia / ambo-los pees de tras
esfolados, e a madre / diss' a seu fillo: «Ben ás
sen de menÿo, que cousa / morta aa Virgen dás,
ca tant' é aquesto como / non lle dares nemigalla.»
A que faz o ome morto / resorgir sen nulla falla... 35

Por quanto ela dizia / o menyno non deu ren,
mas decingeu log' a cinta / e a mua mediu ben,
e fez estadal per ela / que ardess' ant' a que ten
voz ante Deus dos culpados / e como demo baralla.
A que faz o ome morto / resorgir sen nulla falla... 40

O estadal enviado, / e a muleta viveo.
Quand' esto vio o menÿo, / gran prazer en recebeo
e deu-ll' enton que comesse, / e a muleta comeo,
loando todos a Virgen, / a que Deus deu avantalla
A que faz o ome morto / resorgir sen nulla falla... 45

Sobre todos outros santos. / Poren roguemos-ll' atal
que nos guard' en este mundo / d' ocajon e d' outro mal
e que nos dé eno outro / a vida esperital,
a que brite o diabo, / que sempr' é nossa contralla.
A que faz o ome morto / resorgir sen nulla falla... 50

Bibliografía

Valmar, *Extractos,* V, 11; H. Anglés, III, 1.ª, 300 y 421; Mettmann, I; Filgueira, 291; J. Snow, 333; J. Montoya, «Un antiguo Platero...», *Criatura afortunada,* 125-135.

Vocabulario

13. «faagand-o», vb. 'afagar', 'halagándolo'.
14. «org'e palla», 'cebada y paja'.
21. «ero», 'campo'.
23. «colaço» (hermano de leche), 'criado' *DRAE* 'criado de confianza'.
    «esfolar», 'desollar' (despojar de la piel).
38. «estadal», 'hilada de cerilla, que suele tener de largo un estado ('medida lineal') de hombre'. *DRAE.* En nuestro caso, del largo de la mula.

Comentario

La cantiga narra un milagro de tradición oral y perteneciente a la Colección de Milagros de Nuestra Señora de Salas (Huesca), cuyo beneficiario es un niño que ve compensada su confianza en María con la animación de una muleta, obsequio de sus padres, y que había muerto, horas antes.

Hay en la narración un juego de sentimientos dignos de destacar: la compasión del padre que aleja al niño del lugar para evitar que sufra, el realismo de la madre que quiere sacar algún rendimiento de la piel del recién muerto animal y la ingenua confianza del niño.

El lugar puede ser Alquezar, adulteración de Alcázar según Madoz, distante 30 kilómetros de Huesca, villa fundada por Sancho Ramírez en 1091, situada a la margen derecha del río Vero. La confusión entre Alcaraz y Alcázar es frecuente en la Edad Media.

Versión

Ésta es sobre un niño de Alcaraz a quien su padre le regalara una mula y se le murió; y la encomendó a Santa María de Salas y se levantó sana.

Razón: La que puede resucitar a un hombre muerto sin dificultad,
bien puede hacer que viva cualquier muerto animal.

Cantar: Sobre esto la Madre del Salvador hizo un milagro muy grande en favor de un niño que era hijo de un labrador; después que lo oigáis os gozaréis en él y alabaréis a la Virgen que se preocupa por nosotros.

Según he sabido, a este hombre le había nacido una muleta en casa, graciosilla ella, que él se la dio inmediatamente a su hijo con lo que le halagó mucho, y le dijo: «Sea para ti como un regalo esta muleta; yo te proporcionaré para ella cebada y paja.»

El chico la aceptó y le agradó mucho aquel regalo y se hizo cargo, en cuanto le fue posible, de la muleta desde aquel instante; pero una noche se le murió, y por este motivo, para que no supiera nada, el padre se llevó a su hijo al campo donde labraba. Mas la madre, que se quedó en casa, cogió aquella mula muerta y llamó a un criado de confianza y le mandó desollarla, esperando obtener de la piel cinco sueldos y medio. Estando en esto, el labrador llegó del campo, y el pequeño vio desollar su mula y dijo gritando: «Dejad estar a la mula, que yo ya le he encomendado a (la Virgen de) Salas, y confío en que nos ayudará.»

La mula ya tenía ambas patas de atrás desolladas y la madre dijo a su hijo: «Bien se ve que eres aún un niño, pues le ofreces a la Virgen algo muerto, lo que es igual a ofrecerle nada.» El niño, sin embargo, no atendió a cuanto la madre le había dicho y desciñéndose midió con su cinta la longitud de la mula e hizo un estadal para que ardiese como exvoto ante la que es abogada de los pecadores ante Dios y victoriosa contra el demonio.

Enviado el estadal, la muleta vivió. Al ver esto el niño, tuvo gran alegría e inmediatamente le dio de comer y la muleta comió; mientras, todos alabaron a la Virgen, a quien Dios dio poder sobre todos los santos. Por lo tanto, roguémosla para que nos guarde de peligro y de todo mal en este mundo y que en el otro nos conceda la vida espiritual, y que destruya al diablo que es siempre nuestro enemigo.

28*

COMO HŨA MOLLER QUE ERA CONTREYTA DE TODO O CORPO SE FEZ LEVAR A SANTA MARIA DE SALAS E FOI LOGO GUARIDA.

Ben sab' a que pod' e val
fisica celestial.

Ca de seu Fill' á sabuda — 5
fisica muit' asconduda,
con que nos sempre ajuda
e nos tolle todo mal.
Ben sab' a que pod' e val...

Esta Sennor de mesura — 10
fisica sobre natura
mostrou e quis aver cura
dũa moller, direi qual,
Ben sab' a que pod' e val...

Que era toda tolleita
e das pernas encolleita; — 15

* *(E* 179 *T* 179). Cantiga de nueve coblas singulares A7 A7 / b7 b7 b7 a7. Huseby *(Ap.* 6) es partidario de trasncribirla con versos largos según el esquema A / b a. Spanke era también partidario de no denominarla virelai (en H. Anglés, III, 1.ª, 233), opinión que Anglés sigue calificándola «tonada muy popular, como de danza antigua». Encabalgamiento (II y III, VI-VII, IX-X).

mas ela a fez dereita,
ca ssa fisica non fal.
Ben sab' a que pod' e val...

Esta tĩia premudos 20
os talões e metudos
nas rẽes e aprendudos
ben como pedra con cal.
Ben sab' a que pod' e val...

Con este mal que sofria 25
a Salas en romaria
de Molina sse fazia
levar, ca d' i natural
Ben sab' a que pod' e val...

Era. E pois na eigreja 30
foi da que bẽeita seja,
gran maravilla sobeja
mostrou a Sennor leal.
Ben sab' a que pod' e val...

Ca mentr' a missa cantavan 35
en que a Virgen loavan,
os nervios ll' assi sõavan
como carr' en pedregal.
Ben sab' a que pod' e val...

Assi que sse ll' estendendo 40
foron e desencollendo,
e levantou-sse correndo
e sayu-ss' ao portal,
Ben sab' a que pod' e val...

Loando a Groriosa, 45
que é Sennor poderosa,
que lle foi tan piadosa

con saber esperital.
Ben sab' a que pod' e val...

Bibliografía

Valmar, *Extractos,* XIV, 4; H. Anglés (Spanke), III, 1.ª, 233 e *ibídem,* 300 y 421; Mettmann, I, 583; Filgueira, 292; J. Snow, núms. 170, 199.

Vocabulario

4. «física», 'medicina', 'ciencia médica', 'remedio', 'medicamento'.
8. «aver cura», 'tener cuidado', 'ocuparse', 'preocuparse'.
13. «premudos», vb. «premer», 'oprimidos', 'comprimidos'.
14. «rees», 'riñones'.
17. «Molina», Molina de Aragón, Guadalajara.
20. «sobeja», 'abundante, excesivo'.

Comentario

Se trata de un milagro muy semejante al de la mujer de Fuente Oria (Hontoria, Burgos) que se hizo llevar hasta el sepulcro de santo Domingo en Silos. En este caso se trata de una mujer paralítica de Molina de Aragón (Guadalajara) que se hace llevar a Santa María de Salas (Huesca), donde después de una vigilia y durante la Misa sus músculos se distendieron y salió corriendo hasta el portal de la Iglesia. Es una de las típicas cantigas que exaltan a María como «salud de los enfermos», conocedora, como dice el refrán, «de una medicina celestial».

Versión

Cómo una mujer tullida de todo el cuerpo se hizo llevar a Santa María de Salas y curó inmediatamente.

Razón: Bien sabe, la que vale y puede, medicina celestial.

Cantar: Pues de su Hijo ha aprendido medicina muy oculta con la que nos ayuda y nos quita todo mal.

Esta gentil Señora demostró física sobrenatural y se preocupó de una mujer que estaba tullida y encogida de piernas; pero Ella la puso derecha, pues su remedio no falla.

Ésta tenía comprimidos los talones y metidos en las caderas como piedras con cal. Con este mal que sufría se hizo llevar de Molina a Salas, pues era natural de allí. Y una vez en la iglesia de la bendita, la Señora leal hizo una maravilla tremenda. Mientras decían la misa en loor de María los nervios (huesos) le empezaron a crugir como carro en pedregal. Una vez que se le fueron extendiendo y desentumeciendo se levantó corriendo y salió al portal, alabando a la Gloriosa que es Señora poderosa, y que fue tan piadosa con su ciencia espiritual.

29*

ESTA É COMO ABOYUÇAF FOY DESBARATADO EN MARROCOS PELA SINA DE SANTA MARIA.

Pero que seja a gente / d' outra lei [e] descreuda,
os que a Virgen mais aman, / a esses ela ajuda.

Fremoso miragre desto / fez a Virgen groriosa 5
na cidade de Marrocos, / que é mui grand' e fremosa,
a un rei que era ende / sennor, que *perigoosa*
guerra con outro avia, / per que gran mester ajuda.
Pero que seja a gente / d' outra lei e descreuda...

Avia de quen lla désse; / ca assi com' el cercado 10
jazia dentr' en Marrocos, / ca o outro ja passado
era per un gran[de] rio / que Morabe é chamado
con muitos de cavaleiros / e mui gran gente miuda.
Pero que seja a gente / d' outra lei e descreuda...

E corrian pelas portas / da vila, e quant' achavan 15
que fosse fora dos muros, / todo per força fillavan.

---

* *(E* 181 *T* 181). Ocho coblas singulares [con vuelta y refrán]. «La construcción musical (de esta cantiga) no es muy frecuente; en el repertorio de las cantigas sólo aparece en la presente y en la 252...», H. Anglés, III, 1.ª, 301. «Melodía inspirada acaso en el canto gregoriano»: N7 A7 N7 A7 / n7 b7 n7 b7 n7 b7 n7 a7. Virelai. Encabalgamiento sintáctico e interestrófico: I-II, III-IV, V-VI.

E porend' os de Marrocos / al Rei tal conssello davan
que saísse da cidade / con bo'a gent' esleuda
Pero que seja a gente / d' outra lei e descreuda...

D'armas e que mantenente / cono outro rei lidasse 20
e logo fora da vila / a sina sacar mandasse
da Virgen Santa Maria, / e que per ren non dultasse
que os logo non vencesse, / pois la ouvesse tenduda;
Pero que seja a gente / d' outra lei e descreuda...

Demais, que sair fezesse / dos crischãos o concello 25
conas cruzes da eigreja. / E el creeu seu consello;
e poi-la sina sacaron / daquela que é espello
dos angeos e dos santos, / e dos mouros foi viuda,
Pero que seja a gente / d' outra lei e descreuda...

Que eran da outra parte, / atal espant' en colleron 30
que, pero gran poder era, / logo todos se venceron,
e as tendas que trouxeran / e o al todo perderon,
e morreu y muita gente / dessa fea e barvuda.
Pero que seja a gente / d' outra lei e descreuda...

E per Morabe passaron / que ante passad' ouveran, 35
e sen que perdud' avian / todo quant' ali trouxeran,
atan gran medo da sina / e das cruzes y preseran,
que fogindo non avia / niun redẽa tẽuda.
Pero que seja a gente / d' outra lei e descreuda...

E assi Santa Maria / ajudou a seus amigos, 40
pero que d' outra lei eran, / a britar seus ẽemigos
que, macar que eran muitos, / nonos preçaron dous
[figos,
e asi foi ssa mercee / de todos mui connoçuda.
Pero que seja a gente / d' outra lei e descreuda...

Bibliografía

Valmar, *Extractos,* XI, 2; H. Anglés, III, 1.ª, 301 y 421; Mettmann, I, 588; Filgueira, 295; J. Snow, núm. 177; J. Montoya, «Un cerco frustrado...», *Cuadernos de Est. Med.,* VIII-IX (1983), 183-192.

Vocabulario

1. «Marrocos», Marrakech (el topónimo «Marrocos» significa Marruecos, como Marrakech).
3. «d'outra lei», 'de otra ley' (la mahometana o del Islam).
13. «gente miuda», 'gente menuda' (soldados de a pie, de infantería; peones).
18. «gent'esleuda d'armas», 'gente de armas escogida' (solados esforzados).
25. «dos cristãos o concello», 'la comunidad de los cristianos' (en este tiempo los cristianos que vivían en ciudades árabes se les concedía tener su culto y su iglesia).
38. «nium redêa têuda», 'ninguno tenía la rienda', 'ninguno que tuviese la rienda' (que marcase la dirección).

Comentario

El suceso narrado en esta cantiga se halla reflejado en las Crónicas árabes (Ibn Jaldun, *Historia de los Bereberes).* Se trata del primer cerco de Abu Yusuf a la ciudad de Marrakech, último reducto de los almohades mandado por El-Morteda. Éste, en la cantiga, acude a la comunidad cristiana que decide apoyarle y acuden a la estratagema de salir al campo de batalla precedidos de cruces procesionales y estandartes religiosos, entre los que despliegan una con la imagen de María. Los moros atacantes, asustados por el contingente de defensores y ahuyentados por los signos cristianos, abandonan precipitadamente el sitio de la ciudad.

El cronista árabe atribuye el abandono del cerco por la muerte en el campo de batalla del hijo de Abu Yusuf, Abd-Allah. (Ibn Jaldum, *Histoire des Berbéres,* traducción del árabe por el Baron de Slane, París, 1965, IV, 46-57.)

La justificación que hace el autor de la cantiga de tal ayuda de María, es que Ella socorre «a quienes más la aman» aunque sean gente «de otra ley» e «incrédula». Para Alfonso X —y en general entre los medievales— los mahometanos tenían como verdad la virginidad de María *(El Corán,* Azora, XIX), a quien respetaban, y encontramos cantigas como la 185 y la 329 en las que estos desisten de ir contra María.

La lámina 198 (G. Lovillo) es una de las que narran la historia con gran verismo y plasticidad. Para comprenderla hay que unir los cuadros III y IV; así como el V y el VI. En los cuadros centrales se pueden observar los ejércitos de ambos bandos en perfecto orden de batalla, asistidos de milicias cristianas: con armas de Aragón los merinidas, los almohades van precedidos de milicias cuyos escudos y gualdrapas de caballos van ornamentadas con las armas de los señores de Lara: dos calderas agringoladas en palo *(Diccionario Heráldico y Genealógico de Apellidos españoles y americanos,* por Alberto y Arturo García Carrata, Salamanca, 1911), propias de esta familia (Núñez de Lara) en Castilla. Las dos últimas miniaturas representan la huida precipitada de los sitiadores seguidos de los cristianos y moros defensores de la capital del Imperio Almohade, Marrakech.

Versión

Ésta es de cómo Abu Yusuf fue vencido en Marrakech por el estandarte de Santa María.

Razón: Aunque la gente sea de otra ley (y) descreída,
a quienes aman más a la Virgen, a ésos Ella ayuda.

Cantar: Sobre esto hizo un milagro la Virgen gloriosa en la ciudad de Marrakech, que es muy grande y hermosa, a un rey que entonces era su señor y que sostenía una insegura guerra con otro, por lo que estaba necesitado de cualquier ayuda; pues así como él se hallaba cercado dentro de Marrakech, el otro ya había pasado el gran río denominado Morabe (el actual Oum-er-Rbia) con gran cantidad de gente de a caballo y de a pie. Y hacían correrías por las puertas de la villa y robaban cuanto encontraban fuera de los muros. Por todo lo cual los de Marrakech aconsejaban al Rey que saliese de la ciudad con gente de armas escogida y que lidiase con el otro y cuando estuviese fuera de la villa ordenase sacar el estandarte de la Virgen Santa María, y que no dudase que inmediatamente los vencería una vez extendida la insignia. Y más, que hiciese salir a la comunidad cristiana con las cruces de la iglesia.

Aceptado el consejo y después que sacaron la insignia de aquella que es espejo de ángeles y santos y fue vista por los moros que estaban en el otro bando, cogieron tal miedo que, aunque tenían gran poder, todos se derrumbaron, y las tiendas y toda la impedimenta que habían traído perdieron, quedando en el campo mucha gente de aquella fea y barbuda muerta. Y de nuevo pasaron el río Morabe sin cuanto antes habían traído, tal miedo habían cogido del estandarte y de las cruces que no hubo nadie que cogiera las riendas al huir.

Así Santa María ayudó a sus amigos, aunque eran de otra ley, a destruir a sus enemigos quienes, a pesar de que eran muchos, no los apreciaron ni en dos higos, y de este modo su favor fue conocido por todos.

185

Como Santa Maria amparou o castelo que chaman Chincoya aos mouros que o querian fillar.

N^7	A^7	N^7	A^7 ‖	n^7	b^7 ⋮	n^7	b^7 |	n^7	b^7	n^7	a^7 ⋮
α	β	α	β' ‖	γ	δ ⋮	γ	δ' |	α	β	α	β' ⋮

E2, 187, f. 245 c
E1, 185, f. 172 d-173 a
Po-der á San - ta Ma - ri - a gran-de dos seus
a - cor - rer en qual lo-gar quer que se - jan, et os de mal
de-fen - der. E d'a - quest'un gram mi - ra-gre 1) que a - vẽ - o
E2
pouc'á y en Chin-co-ya, un cas - te - lo, per quant' end' eu
a-pren - di, que fe - zo San-ta Ma - ri - a; et a - os que o o -
y, a-ta - es o - me-es e-ran a que de-ve - mos cre - er.
Po-der á San - ta Ma - ri - a gran-de dos seus a - cor - rer

1) Este verso escrito sobre raspado y corregido en E_1, dice en E_2 *E dest oy un miragre,* con lo que la estrofa resulta más inteligible.

30*

ESTA É DE LOOR DE SANTA MARIA.

Santa Maria loei
e loo e loarei.

Ca, ontr' os que oge nados
son d' omees muit' onrrados, 5
a mi á ela mostrados
mais bẽes, que contarei.
Santa Maria loei...

Ca a mi de bõa gente
fez vĩir dereitamente 10
e quis que mui chãamente
reinass' e que fosse rei.
Santa Maria loei...

E conas sas piadades
nas grandes enfermidades 15
m' acorreu; por que sabiades
que poren a servirey.
Santa Maria loei...

---

* *(E* 200). Colofón del segundo centenar; nueve coblas singulares de versos heptasílabos: A7 A7 / b7 b7 b7 a7. Virelai, con estilo de canción de amor (Spanke, en H. Anglés, III, 1.ª, 215).

E dos que me mal querian
e buscavan e ordian 20
deu-lles o que merecian,
assi como provarei.
Santa Maria loei...

A mi de grandes pobrezas
sacou e deu-me requezas, 25
por que sas grandes nobrezas
quantas mais poder direi.
Santa Maria loei...

Ca mi fez de bõa terra
sennor, e en toda guerra 30
m' ajudou a que non erra
nen errou, u a chamei.
Santa Maria loei...

A mi livrou d' oqueijões,
de mortes e de lijões; 35
por que sabiades, varões,
que por ela morrerei.
Santa Maria loei...

Poren todos m' ajudade
a rogar de voontade 40
que con ssa gran piadade
mi acorra, que mester ei.
Santa Maria loei...

E quando quiser que seja,
que me quite de peleja 45
daqueste mund' e que veja
a ela, que sempr' amei.
Santa Maria loei...

Bibliografía

Valmar, *Extractos*, XVI, 4; H. Anglés, III, 1.ª, 215 (Spanke), 307 y 421; Mettmann, I, 640; Filgueira, 326; J. Snow, 71, 102, 126, 150, 354.

Vocabulario

4. «oge nados son d' omees muit' onrrados» (los señores o reyes contemporáneos) 'de los muy honrados de los hombres hoy nacidos'.
9. «bôa gente», 'buen linaje'.
22. «assi como provarei», posible anticipo de la cantiga núm. 235.
27. «Quantas mais poder», 'cuantas más pueda'.
29. «bõa terra», 'buena tierra' (con este término se refiere al reino).
34-35. Hay en estos versos una cierta gradación: 'desgracias, peligros de muerte y lesiones'.
45-46. «peleja daqueste mundo», sent. fig. 'trabajos, fatigas, afanes de este mundo'.

Comentario

Valmar ya señalaba el carácter personal de esta cantiga, que anticipa la *E* núm. 235, donde detalla y pormenoriza los muchos favores que había recibido de María y las numerosas veces que lo había sacado de dificultades y peligros de todo género: físicos y morales. Aquí se dice agradecido por la ascendencia que le ha dado, así como por haberle sacado de las diversas enfermedades, de las diversas celadas políticas, dándole a quienes las urdieron su merecido. También recuerda sus estrecheces económicas. Y de modo especial se siente muy honrado de ser «señor de bôa terra», así como de haberle sacado ileso de desgracias, peligros de muerte y lesiones. Declara estar dispuesto a morir por María y pide a todos que le ayuden a suplicarle que tenga piedad de él y que, cuando ella quiera, que lo libre de los trabajos, fatigas y afanes de este mundo y lo lleve al Paraíso.

Esta última estrofa y la cantiga núm. 36 evocarían los sentimientos de desaliento que también encontraremos en el descordo de desengaño «Non me poso pagar tanto» (Lapa, *CEM,* 26). El término «peleja daqueste mundo» pronto quedaría lexicalizado en la literatura de carácter piadoso como 'trabajos, fatigas y afanes de este mundo'.

Versión

Ésta es de loor de Santa María.
Razón: A Santa María alabé
y alabo y alabaré.

Cantar: Pues, entre los muy honrados de los hombres, hasta hoy nacidos, a mí me ha demostrado mayor número de bondades, como contaré:

Me hizo descender de buen linaje y quiso que sin dificultad reinase y que fuese rey. Y con sus piedades me socorrió en las grandes enfermedades, por lo que sabed, que la serviré. Y a aquellos que me querían mal y lo preparaban y urdían, dioles lo que merecían, según probaré.

A mí me sacó de grandes pobrezas y me dio riqueza, por lo que sus grandes noblezas, en cuanto me sea posible, diré. Pues hízome señor de una noble tierra (reino), y la que no yerra me ayudó en toda guerra y no me faltó cuando la llamé. A mí me libró de desgracias, de peligros de muerte y de lesiones; de donde sabed, varones, que por ella moriré.

Por todo lo cual ayudadme todos a rogar de corazón para que me socorra por su gran piedad, pues de ello he menester. Y cuando quiera que sea, que me libre de la pelea de este mundo y que la vea a Ella, que siempre amé.

31*

ESTA É COMO UN CLERIGO EN PARIS FAZIA HŨA PROSA A SANTA MARIA E NON PODIA [ACHAR] HŨA RIMA, E FOI ROGAR A SANTA MARIA QUE O AJUDASSE Y, E ACHÓ-A LOGO. E A MAGESTADE LLE DISSE: «MUITAS GRAÇAS.»

Muito á Santa Maria, / Madre de Deus, gran sabor 5
d' ajudar quen lle cantares / ou prosas faz de loor.

Daquest' ora un miragre / oý, pouc' á, retraer
que a un arcidiago / avẽo, que gran prazer
avia en fazer prosas / de ssa loor e dizer
sa bondad' e ssa mesura / e seu prez e ssa valor. 10
Muito á Santa Maria, / Madre de Deus, gran sabor...

E hũa prosa fazia / que era feita mui ben,
se non fosse hũa rima / soa que minguava en;
e achar nona podia, / e cuidava que per ren
per el ja non ss' acharia, / nen por outro sabedor. 15
Muito á Santa Maria, / Madre de Deus, gran sabor...

El ja por desasperado / de ss' aquela rim' achar
per ome daqueste mundo, / foi-ss' enton a un altar
da Virgen Santa Maria / e começou-ll' a rogar

* *(E* 202 *F* 33). Cantiga de ocho coblas singulares: N7 A7 N7 A7 / n7 b7 n7 b7 n7 b7 n7 a7. «Melodía popular que recuerda otras de lais y de secuencias medievales» (H. Anglés, III, 309). Virelai. *(Ibídem,* 421.)

de ss' acabar esta prosa / que lle foss' ajudador. 20
Muito á Santa Maria, / Madre de Deus, gran sabor...

Ca ela era ben feita / de ssa loor e de Deus
e de com' a Trĩidade / entendessen os encreus;
e el dar non lle podia / neun cabo, mas os seus
gẽollos ficou que ela / foss' end[e] acabador. 25
Muito á Santa Maria, / Madre de Deus, gran sabor...

Estand' el assi en prezes, / vẽo-lle a coraçon
a rima que lle minguava, / que era de tal razon
en latin e que mostrava: / «Nobile Triclinium.»
E non avia palavra / que y fezesse mellor 30
Muito á Santa Maria, / Madre de Deus, gran sabor...

Esta rima que vos digo, / e que quer dizer assi:
Nobre casa de morada, / tres moradas á en ti:
Deus Padre e o seu Fillo / e o Sant' Espirit' y
vẽeron morar sen falla / por nos fazeren amor. 35
Muito á Santa Maria, / Madre de Deus, gran sabor...

Pois ouv' a pros' acabada, / Santa Maria loou
que lla tan ben acabara, / e con gran prazer chorou.
Mais a cato dũa peça / a omage s'enclinou
dela e mui passo disse: / «Muitas graças, meu sennor.» 40
Muito á Santa Maria, / Madre de Deus, gran sabor...

Este miragre que Santa / Maria demostrar quis
conteceu, non á gran tenpo, / na cidade de Paris;
e veredes a omagen, / por seerdes en mais fis,
oge dia enclinada / estar dentr' en San Vitor. 45
Muito á Santa Maria, / Madre de Deus, gran sabor...

Bibliografía

Valmar, *Extractos,* I, 7; H. Anglés, III, 1.ª, 309 y 421; Mettmann, I, 645; G. Solalinde, «El Cod. Flor», *RFE,* V, 154; J. Snow, núm. 278.

Vocabulario

1. «prosa», 'cántico, himno'.
13. «hũa rima», 'un consonante' (un verso).
30. «palavra», 'verso', 'línea rítmica'.

Comentario

Esta es una de las cantigas del manuscrito *F.*, manuscrito incompleto que recoge el mayor número de cantigas de carácter personal y gran número de otras que tienen como asunto sucesos referidos a Provenza, Francia del Norte y Roma, recogidos posiblemente durante la estancia de Alfonso X en Beaucaire. El fracaso de la política del denominado «fecho del Imperio» y la precipitada vuelta a Castilla, alarmado por los acontecimientos (muerte del heredero, levantamiento de los nobles y nueva invasión de los Merinidas), obligó a abandonar el primitivo proyecto de dos códices historiados, reservando para mejor ocasión la transcripción en un solo volumen, acompañado de su música, de todas las cantigas (manuscrito *J.b2* o de los músicos).

Refiere la cantiga los apuros de un clérigo de París que quería acabar una «prosa» latina, pero le faltaba una «rima». El poeta latino acude a María y ésta le inspira el verso «Nobile Triclinium» con el que completa su composición. Higinio Anglés dice que se trata de una del repertorio de *secuencias de S. Víctor de París* y que la cantiga, en su melodía, «recuerda la del lai *Vierge glorieuse»* (Rayn., 1020), que se repite con diversos textos (véase Jeanroy, L. Braudin et P. Aubry, *Lais et descorts français du XIIIe siècle,* París, 1901, núm. XXVIII)».

Entre las secuencias de Adan de San Víctor se encuentra, precisamente, una cuya primera estrofa dice así:

> Salve Mater pietatis
> Et totius Trinitatis
> Nobile Triclinium;
> Verbi tamen incarnati
> Specialì majestati
> Preparans hospicium.

Estrofa que no coincide en su contenido con la versión que Alfonso X nos da, pero que muestra hasta qué punto es real el uso del verso «Nobile Triclinium».

Versión

Ésta es de cómo un clérigo, en París, componía un himno a Santa María y no podía hallar un consonante y rogó a Santa María que lo ayudase y lo halló inmediatamente. Y su Magestad le dijo: «Muchas gracias.»

Razón: Tiene la Madre de Dios, Santa María, muy gran sabor
en ayudar a quien cantares o prosas hace en su honor.

Cantar: Acerca de esto ahora, hace poco, oí relatar un milagro que le sucedió a un arcediano, que experimentaba gran placer en componer prosas en su honor y narrar su bondad, su mesura, su mérito y su valor.

Estaba haciendo una prosa que resultaba muy bien, a no ser que le quedaba corto un solo verso; y no lo podía lograr, y pensaba que de ningún modo lo lograrían ni él, ni ningún rimador.

Ya desesperado de encontrar aquel consonante ni él ni nadie más, se fue ante un altar de la Virgen Santa María y comenzó a rogarla que le ayudase a acabar aquella prosa. Pues estaba bien y en su honor y en el de Dios y de cómo dar a entender la Trinidad a los incrédulos, pero él no podía concluirla, por lo que, clavado de hinojos, le pedía que fuese Ella quien la acabase.

Estando así en oración, le vino a la mente el verso que le faltaba, que sonaba en latín de esta manera: «Nobile Triclinium», y no existía verso que viniese mejor. Esta rima que os digo venía a decir así: «Noble casa, tres moradas hay en ti: el Padre y el Hijo y el Santo Espíritu vinieron habitar a allí para mostrarnos sin falta su amor.»

Después que hubo acabado su prosa, alabó a María que tan bien la concluyera, y de alegría lloró. Y al poco tiempo la imagen se inclinó y muy quedamente le dijo: «Muchas gracias, mi señor.»

Este milagro que Santa María quiso mostrar aconteció, no hace mucho, en la ciudad de París; y veréis la imagen, para que estéis más ciertos, inclinada aun hoy día, en San Víctor.

32*

ESTA É DE LOOR DE SANTA MARIA.

Dized', ai trobadores,
a Sennor das sennores,
porqué a non loades?

Se vos trobar sabedes, 5
a por que Deus avedes,
porqué a non loades?

A Sennor que dá vida
e é de ben comprida,
porqué a non loades? 10

A que nunca nos mente
e nossa coita sente,
porqué a non loades?

---

* *(E* 260). Cantiga de dos versos, autóctona: siete estrofas de dos versos con refrán: a6 a6 / N6. Spanke (H. Anglés, III, 1.ª, 196 y 214) menciona a Roy Fernández de Compostela como introductor hipotético de la métrica de este género poético; asimismo presenta una cantiga de amigo con idéntica métrica. Anglés (III, 1.ª, 327) dice: «no dudamos en afirmar que esta melodía no desdice de las similares de las cantigas de amigo de Martín Codax» *(Vid.* Ismael Fernández de la Cuesta, «Les cantigas de amigo de Martín Codax», *Cahiers de Civilisation Médièvale,* XXV [1982], 179-185). Canción. El estribillo no rima con la estrofa (palavra perduda).

A que é mais que bõa
e por que Deus perdõa, 15
porqué a non loades?

A que nos dá conorte
na vida e na morte,
porqué a non loades?

A que faz o que morre 20
viv', e que nos acorre,
porqué a non loades?

Bibliografía

Valmar, *Extractos,* XVI, 5; H. Anglés, III, 1.ª, 196 y 214 (Spanke), 327 y 423; J. Snow, núms. 82, 126, 150, 198, 209, 237, 252, 324, 354, 369 bis; A. Gier, «Les *CSM* d'Alfonse...», *op. cit.,* pág. 145.

Comentario

Albert Gier califica esta canción como tensón en la que hipotéticamente Alfonso se dirigiría a sus contrincantes, los trovadores del amor mundano, invitándoles a trovar a Nuestra Señora. También opina de igual modo Joseph Snow al interpretar que Alfonso hizo un constante llamamiento a sus colaboradores para que se esforzasen en alabar a María *(Vid.* «Alfonso X y / en sus Cantigas», en *Estudios Alfonsíes,* Granada, 1985, 71-77).

Aunque no les faltan razones a los dos mencionados críticos, Alfonso X, como Gautier de Coinci, operan con las figuras retóricas del tiempo y en nuestro caso, como en el de Gautier de Coinci *(II Pr.* 1, vv. 120-124; *Ep.* 40-50), es una 'interrogación retórica' lanzada al ambiente, sin necesidad de una intencionalidad precisa de dirigirse a determinado grupo de trovadores.

Versión

Ésta es de loor de Santa María.
Cantar: Decid, ¡ay trovadores!
a la Señora de las Señoras,
por qué no la alabáis?

Y si trovar sabéis
a la que por Dios tenéis,
por qué no la alabáis?

A la Señora que da la vida
y es de gracia cumplida,
por qué no la alabáis?

A la que nunca nos miente
y nuestros dolores siente,
por qué no la alabáis?

A la que es más que buena
y por quien Dios nos perdona,
por qué no la alabáis?

A la que nos da todo consuelo
en la vida y en la muerte,
por qué no la alabáis?

A la que hace que lo que muere
viva, y que a nosotros socorre,
por qué no la alabáis?

279

Como el rei pidiu mercee a Santa Maria que o guarecesse d'ũa grand'enfermidade que avia; et ela, commo Sennor poderosa, guarece-o.

A^{10}	A^{10}	B^{4} ‖	a^{10}	A^{10} ⋮	a^{10}	A^{10} |	a^{10}	b^{4} |
α	β	γ ‖	α	α ⋮	α	α |	β	γ |

To.
To, 10 a., f. 155 a-b
E1, 279, f. 251 a-b
San - ta Ma - ri - a, va - led' ¡ai, Se -
nnor! et a - cor - red' a vos - so tro - ba - dor, que ma - lle
vai. A - tan gran mal e a - tan gran do - or San - ta Ma -
ri - a, va - led' ¡ai, Se - nnor! co - mo soffr' es - te vos - so lo - a -
dor; San - ta Ma - ri - a, va - led' ¡ai, Se - nnor! et sã - e
ja, se vos en pra - zer for, do que diz «¡Ai!».

33*

COMO EL REI PIDIU MERCEE A SANTA MARIA QUE O GUARECESSE DŨA GRAND' ENFERMIDADE QUE AVIA; E ELA, COMO SENNOR PODEROSA, GUARECÉ-O.

Santa Maria, valed', ai Sennor,
e acorred' a vosso trovador, 5
que mal le vai.

A tan grand mal e a tan gran door,
Santa Maria, valed', ai Sennor,
como soffr' este vosso loador;
Santa Maria, valed', ai Sennor, 10
e sã' é ja, se vos en prazer for,
do que diz «ai».
Santa Maria, valed', ai Sennor...

Pois vos Deus fez d'outra cousa mellor
e vos deu por nossa rezõador, 15

* *(E* 279 *To* X). Cuatro coblas unisonantes, en las que se intercala el refrán formando así un rondel. Spanke aboga porque se suprima la segunda repetición del refrán para obtener un refrán y una cauda iguales (ABC/AA ABC), lo que no es posible (en H. Anglés, III, 1.ª, 225). Huseby *(Ap.* 1) la cita como forma distinta del virelai con rima interna. Higinio Anglés dice que nos encontramos con «una cantiga en la forma de rondel (= rondeau), compuesta por el mismo rey Alfonso» (J. Anglés, III, 1.ª, 333 y 423). A10 A10 B4 a10 A10 a10 A10 b4.

seede-mi ora ajudador
en est' enssay
Santa Maria, valed', ai Sennor...

Que me faz a mort', ond' ei gran pavor,
e o mal que me ten tod' enredor, 20
que me fez mais verde mia coor
que dun canbrai.
Santa Maria, valed', ai Sennor...

Que fez enton a galardõador
de todo ben e do mal sãador? 25
Tolleu-ll' a fever e aquel umor
mao e lai.
Santa Maria, valed', ai Sennor...

Bibliografía

Valmar, *Extractos,* XIV, 10; H. Anglés, III, 1.ª, 333 y 423; Mettmann, II, 80; J. Snow, núms. 83, 109, 44, 158, 233, 298, 358.

Vocabulario

9. «vosso loador», 'vuestro elogiador' (aquí identifica su oficio de 'trovador' con el de 'loador'. Alfonso X es un verdadero panegirista de María, cuyo propósito de alabarla está presente ya en el prólogo de su Cancionero).
15. «nossa rezôador», 'nuestra abogada'.
17. «enssay», 'ensayo, prueba' (ant. occ.). Se refiere al peligro de muerte, calificado como 'asalto' o 'intento', en que estuvo por el mal hepático que debió sufrir.
22. «cambrai», 'cambrai' (tejido muy delgado procedente de la ciudad francesa de Cambrai, de color verde).
26. «umor», 'humor' (cualquiera de los líquidos del cuerpo animal). La medicina antigua achacaba a estos humores la buena o mala salud del individuo.
27. «lai», 'repugnante, feo'.

Comentario

Reconocimiento de Alfonso X hacia nuestra Señora que acudió a su súplica quitándole la fiebre y los malos humores que hacían su color más verde que un «cambrai». Las primeras estrofas son la súplica en que Alfonso se dice «trobador» y «loador» de María, mientras que a María la dice «rezôador» ('abogada, intercesora') y «ayudador» ('auxiliadora') en el 'asalto' («enssay» ant. prov. 'ensayo' 'prueba') que le proporcionó la 'muerte' y «o mal que me ten tod' enrededor».

Ante súplica tan desgarradora, ¿qué hizo María? Pues, según confesión del propio Alfonso, quitarle la fiebre y el mal 'humor' que le producía tan enfermedad.

La cantiga es una de las más personales que contiene el Cancionero. Son varias las enfermedades que tuvo Alfonso X en su vida y de todas dice haber salido gracias a María *(vid. cants. E* núms. 200, 235 y 367), pero de ninguna ha dejado memoria tan emotiva como en ésta, en la que Alfonso X se presenta ante María como «su» trovador.

Versión

Cómo el Rey pidió una gracia a Santa María: que lo curase de una enfermedad grande que tenía; y Ella, como Señora poderosa, lo sanó.

Razón: ¡Ay, Señora!, ¡Santa María! valed
y socorred a vuestro trovador
que le va mal

Cantar: En tan gran enfermedad y en tan gran dolor
como sufre este vuestro elogiador;
y sano sea, si es de vuestro agrado,
de lo que le produce el «Ay».

Pues Dios os hizo mejor que otra cosa
y os dio por nuestra abogada
sedme ahora auxiliadora
en este asalto

que la muerte me hace, del que tengo miedo,
y del mal que me envuelve todo alrededor,
y que convirtió más verde mi color
    que el de un cambrai.

¿Qué hizo entonces la galardonadora
de todo bien y sanadora del mal?
Quitóle la fiebre y aquel humor
    malo y repugnante.

34*

ESTA É DE LOOR DE SANTA MARIA.

Maldito seja quen non loará
a que en si todas bondades á.

Maldito seja o que non loar
a que de bondades non ouvre par 5
nen averá mentr' o mundo durar,
[ca] Deus son fez outra tal, nen fará.
Maldito seja quen non loará...

Bẽeito seja sempr' o loador
dc tan nobr' e tan onrrada Sennor, 10
de que naceu Deus, om' e Salvador,
ca pois gualardõado lle será.
Bẽeito seja o que loará...

Maldito seja quen non disser ben
daquela en que non falece ren 15
de quant' a bondad' e a prez conven,

---

* *(E* 290). Seis estrofas singulares: A10 A10 b10 b10 b10 a10. Spanke (en *HAnglés,* III, 1.ª, 215) la relaciona melódica y temáticamente con «Beatus homo» del Ritmo Carolingio. También Higinio Anglés lo relaciona con el «conductus» mencionado de Notre Dame de París. *(Ibídem,* 337). Cerveri de Girona tiene un poema narrativo «Maldit, bendit» en el que existe una parte misógina que podría relacionarse con ese mismo aspecto de este Virelai.

e esto ja mais non lle falirá.
Maldito seja que[n] non loará...

Bẽeito seja quen senpre servir
a Madre de Deus, Virgen sen falir; 20
ca, pois [que] deste mundo se partir,
ant' o seu Fillo o presentará.
Bẽeito seja o que loará...

Maldito seja quen ben non disser
da mellor das bõas e non quiser 25
aver seu amor enquanto poder,
ca por aques't o de Deus averá.
Maldito seja quen non loará...

Bẽeito seja o que gran prazer
á de loar tal Sennor, que aver 30
nos fez amor de Deus e connocer
ela que por nos todos rogará.
Bẽeito seja o que loará...

Bibliografía

Valmar, *Extractos,* XVI, 6; H. Anglés, III, 1.ª, 215 (Spanke), 337 y 423; Mettmann, II, 105; J. Snow, 83, 126, 324, 354.

Comentario

De nuevo una exaltación de la alabanza y servicio a María, maldiciendo a quien no la alabe y sirva. Albert Gier opina que ésta sería una tensón, junto con la núm. 32, en la que se dirige a los trovadores preguntando por qué no alaban a Santa María.

Lo cierto es que el motivo de invitación a la alabanza y aun al rechazo de aquellos que no alaban a María es un motivo muy frecuente entre los hagiógrafos *(vid.* Gautier de Coinci, II Pr. 1, 311-362), y no hay que recurrir a la tensón, género muy definido, por otra parte, de la lírica gallego-portuguesa. Bastaría encuadrarla en el más amplio género provenzal del debate.

Versión

Ésta es de loor de Santa María.
Razón: Maldito sea quien no alabe
a quien en sí tiene todas las bondades.
Cantar: Maldito sea aquél que no alabe a quien en bondades no tuvo igual ni tendrá mientras el tiempo dure, pues Dios no hizo igual, ni la hará.

Bendito sea el elogiador de tan honrada y noble Señora, de quien nació Dios, hombre y salvador, pues después recibirá galardón.

Maldito sea quien no dijere bien de aquella en la que no falta nada, de cuanto hay de bondad y a mérito conviene, y jamás nada de esto le faltará.

Bendito sea quien siempre sirviese a la Madre de Dios, Virgen sin mancha; pues, una vez que partiese de este mundo, lo presentará ante su Hijo.

Maldito sea quien no dijera bien de la mejor entre las buenas y no quisiere obtener su amor en cuanto pudiese, pues por esto el de Dios obtendría.

Bendito sea aquel que halla gran placer en alabar a tal Señora, que obtener nos permitió el amor de Dios y conocer a Ella que por nosotros todos rogará.

35*

COMO SANTA MARIA APAREÇEU A UN MONJE NA ÇIBDADE DE CONTURBEL E MOSTROU-LLE COMO A SERVISSE.

Quen aa Virgen santa / mui ben servir quiser,
conven-lle que a sérvia / com' a ela prouguer.

Ca servir nona pode / ben quena non amar, 5
nen amar nunca muito / o que a non onrrar,
e fazendo tod' esto, / ar deve-a loar
por muitos de miragres / que faz quand' ela quer.
Quen aa Virgen santa / mui ben servir quiser...

E dest' un gran miragre / ora vos contarey 10
que en Conturbe[l] fezo, / per com' escrit' achey,
por un monge, sant' ome; / e sōo cert', e sey
que senpre fará est' a / quena servir souber.
Quen aa Virgen santa / mui ben servir quiser...

Este muit' ameude / fazia oraçon 15
sempr' ant' o altar dela / con mui gran devoçon,
os gẽollos ficados, / e mui de coraçon
pedia que lle désse, / ca ll'era mui mester,
Quen aa Virgen santa / mui ben servir quiser...

---

* *(E* 296 *F* 11). Ocho coblas singulares: N6'A7 N6'A7 / n6' b7 n6' b7 n6' b7 n6' a7. «Melodía como de cantar de gesta» (H. Anglés, III, 1.ª, 339). Virelai *(Ibídem,* 424). Encabalgamiento sintáctico interestrófico III-VII-VIII.

Siso per que podesse / a saber ben servir; 20
e outra cousa nunca / lle queria pedir.
E a Virgen non quiso / que en seu don falir
foss', e apparecer-lle / foi, como vos disser,
Quen aa Virgen santa / mui ben servir quiser...

Mais fremosa e crara / que lũa nen sol é, 25
e disse-ll': «O que pedes / praz-me, per bõa fe;
e eu dizer-cho quero / ca meu Fill' u el ssé,
ten por ben que cho diga, / e direi-cho, senner.
Quen aa Virgen santa / mui ben servir quiser...

Se ben queres servir-me, / primeiro amar-m-ás 30
muit' ena voontade, / outrossi onrrar-m-ás,
e sobre tod' aquesto / sempre me loarás,
pois me fillou por madre / Deus, seend' eu moller.»
Quen aa Virgen santa / mui ben servir quiser...

Quanto a Virgen disse, / todo-o ascoitou 35
aquel frade de grado, / e quanto lle mandou
fazer, todo foi feito; / e depois lle levou
aos ceos a alma. / Poren quena crever.
Quen aa Virgen santa / mui ben servir quiser...

Sempr' en aqueste mundo / bõa vida fará, 40
e quen servir a ela, / seu Fillo servirá,
e pois que del for fora, / Parayso verá;
demais valrrá-lle senpre / u a mester ouver.
Quen aa Virgen santa / mui ben servir quiser...

Bibliografía

Valmar, *Extractos,* VII, 8; H. Anglés, III, 1.ª, 339 y 424; Mettmann, II, 121; G. Solalinde, «Elcod. Fl.», *RFE,* V, 151. J. Snow, núm. 82.

Comentario

Cantiga en la que se declaran las cosas necesarias para servir a María: amarla, honrarla y alabarla. María se aparece en visión a un monje de Canterbury que solía pedirle siempre buen sentido para no dejar de servirla y le declara cómo le place a Ella y a su Hijo que la sirva del modo como la viene sirviendo. Después de dicho esto, desaparece la visión y el fraile vive cumpliendo hasta su muerte cuanto la Virgen le había dicho.

La aparición de María tiene reminiscencias de las frases referidas a María en *Apocalipsis* (12, 1b).

Versión

Cómo Santa María se apareció a un monje en la ciudad de Canterbury y le mostró cómo servirla.

Razón: Quien a la Virgen Santa servir quisiera,
le conviene servirla como a ella pluguiera.

Cantar: Pues servirla bien no la puede quien no la ama, ni amar mucho nunca quien no la honra, y, haciendo todo esto, debe, además, alabarla por los muchos milagros que hace cuando quiere.

Y sobre esto os contaré ahora un gran milagro que hizo en Canterbury, según escrito hallé, a un monje, hombre santo, y cierto estoy que esto hará siempre quien la quisiere servir.

Éste hacía oración muy a menudo ante el altar de Ella, con muy gran devoción, hincado de hinojos, y de todo corazón pedía que le diese, pues le era muy necesario, sentido para que pudiese servirla bien; y no quería pedirle otra cosa. Y la Virgen no quiso faltarle con su don y, según ahora os diré, se le apareció más hermosa y brillante que luna y que sol son, y le dijo: «Lo que pides me place, en verdad; y quiero decírtelo; que mi Hijo, allí en su trono tiene a bien que te lo diga, y te lo diré sin tapujos: si quieres servirme bien, me has de amar, en primer lugar, de corazón, y además me has de honrar, y sobre todo siempre me alabarás pues Dios me tomó por Madre siendo yo sólo mujer.»

Cuanto la Virgen le dijo, todo lo escuchó aquel monje de buen grado, y cuanto le mandó hacer, todo fue hecho; y después le llevó a los cielos el alma. Por todo lo cual quien la creyese siempre llevará buena vida en este mundo, y quien la sirva a Ella, servirá a su Hijo y después que estuviera fuera de él, vendrá al Paraíso; además le socorrerá siempre que tuviera necesidad.

36*

ESTA É DE LOOR DE SANTA MARIA.

Muito deveria ome sempr' a loar
a Santa Maria e seu ben rezõar. 5

Ca ben deve razõada
seer a que Deus por Madre
quis, e seend' el seu Padre
e ela filla e criada, 10
e onrrada
e amada
a fez tanto, que sen par
é preçada
e loada
e será quant' el durar. 15
Muito deveria...

[O]utrossi loar devemos
a por que somos onrrados
de Deus e ar perdõados

---

* *(E* 300). Centenar. Colofón del tercer centenar. Seis estrofas singulares con refrán: A5 B6 A5 B6 / c7 d7 d7 c7 c3 c3 b7 c3 c3 b7.

Spanke (H. Anglés, III, 1.ª, 215) ha escrito sobre la distinta métrica y música de esta cantiga y la considera un lai (Laistrophe); antes la había considerado un himno con refrán (Refrainlieder) *(Ibídem,* 208). Anglés dice de ella: «melodía muy popular, como de unos goigs; en cierto modo recuerda un poco la melodía gregoriana «Ubi caritas et amor» *(Ibídem,* 341 y 424).

dos pecados que fazemos; 20
ca tẽemos
que devemos
por aquesto lazerar,
mas creemos
e sabemos 25
que nos pod' ela guardar.
Muito deveria...

Razõa-la ben, sen falla,
devemos, ca nos razõa
ben ante Deus, e padrõa 30
é noss' e por nos traballa;
e baralla
e contralla
o dem', e faz-lo estar
quen non valla 35
nemigalla
nen nos possa mal buscar.
Muito deveria...

E por esto lle [de]mando
que lle non venna emente 40
do que diz a maa gente
porque sõo de seu bando,
e que ando
a loando
e por ela bou trobar, 45
e cuidando
e buscando
como a possa onrrar,
Muito deveria...

Mas que lles dé galardões 50
ben quaes eles merecen,
porque me tan mal gradecen
meus cantares e meus sões

e razões
e tenções 55
que por ela vou fillar;
e felões
corações
me van porende mostrar.
Muito deveria... 60

E ar aja piadade
de como perdi meus dias
carreiras buscand' e vias
por dar aver e herdade
u verdad' e 65
lealdade
per ren nunca puid' achar,
mais maldad'
e falssidade,
con que me cuidan matar. 70
Muito deveria...

Bibliografía

Valmar, *Extractos,* XVI; H. Anglés, III, 1.ª, 208, 215, 341 y 424; Mettmann, II, 131; J. Snow, 126, 297, 354.

Vocabulario

5. «rezôar», 'encomiar' ('Alabar con encarecimiento a una persona.' *DRAE);* 'defender'.
9. «criada *(vb.* 'criar', 'elegir a uno para una elevada dignidad'. *DRAE,* 6), 'elegida'.
15. «durar», 'existir', 'permanecer en la existencia'.
45. «vou», vb. «voler», 'quiero'.
55. «tençoes», 'tensones' (argumentar al contrario) «fillar tençoes», 'responder los argumentos en contra' (no se refiere al género de composición provenzal «tensón»).

Comentario

Canta aquí Alfonso X la obligación que todos tienen de exaltar y encomiar a Santa María y su bien, lamentándose de la incomprensión que encuentra entre sus contemporáneos por dedicarse a esta obligación moral.

La composición tiene dos partes bien definidas. Las tres primeras estrofas las dedica a glosar el refrán, sobre todo sus dos verbos: «rezôar» y «loar» ('encomiar', 'alabar'), mientras que las tres últimas son un lamento por la incomprensión de cuantos le rodean, quienes no agradecen sus canciones ni sus melodías, ni cuantos argumentos él ha acumulado en favor de María. Hay una cierta ironía en pedir a María que dé galardones, como merecen, a sus detractores. Por último pide que tenga piedad por sus errores pasados, aludiendo a la deslealtad, maldad y falsedad que estaba experimentando.

Valeria Bertolucci relaciona algunas de sus frases con otras de la cantiga de crítica moral, denominada «cantiga del desengaño», en la que canta su frustración ante los afanes de este mundo.

Versión

Ésta es de loor de Santa María.

Razón: Todo hombre debería mucho alabar,
y sus dones encomiar, a Santa María.

Cantar: Pues encomiada debe ser la que Dios por Madre quiso tener, y siendo él su Padre la hizo hija y elegida, y tan honrada y ensalzada, que es apreciada y alabada sin igual mientras exista la vida.

Además alabar debemos a quien por Ella somos de Dios honrados y también perdonados de los pecados que hacemos; pues sabemos que por ellos debemos penar, pero creemos y estamos seguros que Ella nos puede guardar.

Debemos también encomiarla con ahínco, pues bien nos defiende ante Dios, y es abogada nuestra; y alterca y contraría al demonio, y lo anula haciendo que no valga una migaja, ni pueda buscarnos mal.

Por todo esto le suplico que no tome en cuenta lo que dice la mala gente sobre que soy de su bando y que ándola loando y que por Ella quiero trovar, pensando y buscando cómo honrarla, sino que más bien les dé los galardones —que ellos merecen— por no agradecerme mis cantares y mis sones y las razones en favor y en contra que por Ella quiero tomar; pues sé que me mostrarán sus felones corazones.

Y también tenga piedad de cómo perdí mis días buscando medios y maneras de obtener haber y heredad para quienes jamás hallé ni con verdad ni con lealtad, sino más bien falsedad y maldad con la que intentan acabar conmigo.

37*

ESTA É PETIÇON QUE FEZO EL REY A SANTA MARIA.

Marcar poucos cantares / acabei e con son,
Virgen, dos teus miragres, / peço-ch' ora por don
que rogues a teu Fillo / Deus que el me perdon
os pecados que fige, / pero que muitos son, 5
e do seu parayso / non me diga de non,
nen eno gran juyzio / entre migu' en razon,
nen que polos meus erros / se me mostre felon;
e tu, mia Sennor, roga-ll' agora e enton
muit' afficadamente / por mi de coraçon, 10
e por este serviço / dá-m' este galardon.

Pois a ti, Virgen, prougue / que dos miragres teus
fezess' ende cantares, / rogo-te que a Deus,
teu Fillo, por mi rogues / que os pecados meus
me perdon e me queira / reçebir ontr' os seus 15
no santo parayso, / u éste San Matheus,
San Pedr' e Santi[a]go, / a que van os romeus,
e que en este mundo / queira que os encreus
mouros destruyr possa, / que son dos Filisteus,
com' a seus ẽemigos / destruyu Machabeus 20
Judas, que foi gran tenpo / cabdelo dos judeus.

---

* *(E* 401 *To* Pitiçon). Diez estrofas singulares, monorrimas de verso alejandrino. Canción. «Es una canción sin refrán y, en su género, única en el repertorio alfonsino. Su melodía de carácter solístico se presta muy bien al sentimiento, pues es una súplica o 'piticon'» (H. Anglés, III, 1.ª, 368, 426).

E al te rog' ainda / que lle queyras rogar
que do diab' arteiro / me queira el guardar,
que pun[n]a todavia / pera om' enartar
per muitas de maneiras, / por faze-lo peccar, 25
e que el me dé siso / que me poss' amparar
dele e das sas obras, / con que el faz obrar
mui mal a queno cree / e pois s'en mal achar,
e que contra os mouros, / que terra d'Ultramar
tẽen e en Espanna / gran part' a meu pesar, 30
me dé poder e força / pera os en deitar.

Outros rogos sen estes / te quer' ora fazer:
que rogues a teu Fillo / que me faça viver,
per que servi-lo possa, / e que me dé poder
contra seus ẽemigos / e lles faça perder 35
o que tẽen forçado, / que non deven aver,
e me guarde de morte / per ocajon prender,
e que de meus amigos / veja senpre prazer,
e que possa mias gentes / en justiça tẽer,
e que senpre ben sábia / enpregar meu aver, 40
que os que mio fillaren / mio sábian gradeçer.

E ainda te rogo, / Virgen, bõa Sennor,
que rogues a teu Fillo / que, *mentr'* eu aqui for
en este mundo, queira / que faça o mellor,
per que del e dos bõos / sempr' aja seu amor; 45
e, pois Rey me fez, queira / que reyn' a seu sabor,
e de mi e dos reynos / seja el guardador,
que me deu e dar pode / quando ll' en prazer for;
e que el me deffenda / de fals' e traedor,
e outrossi me guarde / de mal consellador 50
e d'ome que mal serve / e é mui pedidor.

E pois ei começado, / Sennor, de te pedir
merçees que me gães, / se a Deus por ben vir,
roga-lle, que me guarde / de quen non quer graçir
algo que ll' ome faça / neno ar quer servir, 55

outrossi de quen busca / razon pera falir,
non avendo vergonna / d'errar nen de mentir,
e [de] quen dá juyzio / seno ben departir
nen outro gran consello / sen ant' i comedir,
e d'ome mui falido / que outro quer cousir, 60
e d'ome que mal joga / e quer muito riir.

Outrossi por mi roga, / Virgen do bon talan,
que me guard' o teu Fillo / daquel que adaman
mostra sempr' en seus feitos, / e daqueles que dan
pouco por gran vileza / e vergonna non an, 65
e por pouco *serviço* / mostran que grand' affan
prenden u quer que *vaan*, / pero longe non vam;
outrossi que me guardes / d'ome torp' alvardan,
e d'ome que assaca, / que é peor que can,
e dos que lealdade / non preçan quant' un pan, 70
pero que sempr' en ela / muito faland' estan.

E ainda te rogo, / Sennor espirital,
que rogues a teu Fillo / que el me dé atal
siso, per que non caia / en pecado mortal,
e que non aja medo / do gran fog' infernal, 75
e me guarde meu corpo / d'ocajon e de mal
e d'amig' encuberto, / que a gran coita fal,
e de quen ten en pouco / de seer desleal,
e daquel que se preça / muit' e mui pouco val,
e de quen en seus feitos / sempr' é descomunal. 80
Esto por don cho peço, / e ar pidir-ch-ei al:

Sennor Santa Maria, / pois que começad' ey
de pedir-che merçee, / non me departirey;
poren te rog' e peço, / pois que teu Fillo Rey
me fez, que del me gães / siso, que mester ey, 85
con que me guardar possa / do que me non guardey,
per que d'oj' adeante / non erre com' errey
nen meu aver enpregue / tam mal com' enpreguey
en algũus logares, / segundo que eu sey,

perdend el e meu tenpo / e aos que o dey; 90
mas des oi mais me guarda, / e guardado serey.

Tantas son as merçees, / Sennor, que en ti á,
que porende te rogo / que rogues o que dá
seu ben aos que ama, / ca sey ca o fará
se o tu por ben vires, / que me dé o que ja 95
lle pedi muitas vezes; / que quando for alá
no parayso, veja / a ti sempr' e acá
mi acorra en mias coitas / por ti, e averá-
me bon galardon dado; / e sempre fiará
en ti quen souber esto / e mais te servirá 100
por quanto me feziste / de ben, e t'amará.

Vocabulario

11. «este serviço», 'este servicio' (clara alusión a las cantigas como servicio a María).
19. «Filisteus», tribu que, procedente de Egipto, se estableció en Cananea y que le disputó a los israelitas la posesión de Palestina. Fuertemente helenizados, rechazaban la religión mosaica y fueron siempre considerados como gentiles por los israelitas.
20. «Macabeus Judas», Macabeo es sobrenombre de Judas, tercer hijo de Matatías (I *Mac* 2, 4), héroe de la independencia judía contra Siria. En sentido más amplio, el nombre comprende a todos los impugnadores de los paganos, sirios o egipcios.
24. «enartar», 'engañar por medio de artes'.
31. «deitar», 'echar fuera'.
60. «cousir», 'reprender, censurar'.
68. «alvardan», 'truhán'.
69. «assaca», vb. «assacar», 'acusar'.

Comentario

Esta «pitiçon» fue concebida como colofón de la primera redacción, en cuyo plan editorial sólo constaban cien cantigas, de ahí que en el códice *To* se diga «Esta e la pitiçon que fez el rey don Alfonsso a Santa Maria por galardón destos cen cantares que ouve feito dos seus miragres a loor dela.» Cien cantares, que al ampliarse y colocarse como colofón del definitivo Cancionero, fueron integrados y desapareció su mención aun de la redacción del primer verso donde se aludía a ellos, cambiando «pois cên cantares feitos acabei» *(cod.* To) por la actual redacción: «marcar poucos cantares acabei».

Se explica, por tanto, que las peticiones sean más de un rey que comienza a gobernar, que no el rey que hemos podido rastrear en los números 30 y 36. Entre las peticiones se encuentra la de poder expulsar de España a los moros que tienen «gran parte de España, a mi pesar», así como la de que su vida sea en servicio y defensa de María, que obre en justicia con sus súbditos, que gobierne según la voluntad de Dios. Son todas ellas otros tantos recuerdos de las peticiones del rey bíblico, Salomón.

A partir de la estrofa sexta las peticiones son de carácter precautorio y también de un rey que comienza. Que lo libre de los desagradecidos, de los mezquinos, de los desvergonzados, de los ambiciosos... Es casi todo un anticipo de lo que será su vida.

En la octava son peticiones espirituales. Que lo guarde del pecado mortal y del infierno. Pero también que lo guarde de los peligros de muerte y de los amigos que a la hora de la verdad fallan.

La novena pide sensatez para gobernar y perdón por los errores cometidos hasta entonces. Y concluye con la décima pidiéndole la salvación eterna, repitiendo palabras que están en el prólogo, con las que intencionadamente termina. En el Prólogo del Cancionero decía:

> que me dé galardón,
> com'ela da aos que ama;

e que no souber,
por ela mais de grado trobará.

(*Pr. B*, 42-45)

Mientras que en la Pitiçon, dice:

... e averá-
me bon galardon dado; e sempre fiará
en ti quen souber esto e mais te servirá
per quanto me feziste de ben, e t'amará.

(*Pitiçon*, 98-101)

El que pedía al principio que le diese galardón para que quien lo supiese le trovase con agrado, al final dice que dándole el Paraíso a él, quien lo sepa más confiará y la servirá y la amará. Él se propone, una vez más, como modelo.

Versión

Esta es la petición de galardón que hizo el Rey a Santa María.

Cantar: Aunque sólo acabé pocos cantares (cien cantares) con su melodía de tus milagros, ¡oh Virgen!, te pido como don que ruegues a tu Hijo para que me perdone los pecados que hice, aunque son muchos, y que no me niegue su paraíso, y que no entre en pleito conmigo en su juicio, ni se muestre hosco conmigo por los muchos yerros míos; y Tú, Señora mía, ruega ahora y entonces con ahínco y por este «servicio» concédeme ese galardón.

Y pues te ha complacido que hiciese canciones sobre tus milagros, te ruego que pidas a Dios, tu Hijo, que me perdone mis pecados y me quiera recibir entre los suyos, donde están San Mateo, San Pedro y Santiago, al que acuden los romeros, y que en este mundo quiera que pueda destruir a los moros incrédulos, que son del género de los Filisteos, como a sus enemigos destruyó Judas Macabeo, que, en el edad antigua, fue caudillo de los judíos.

Y también te ruego que le pidas que me guarde del diablo astuto, que todavía pugna por engañar de muchas maneras a los hombres, para hacerlos pecar, y que El me dé inteligencia para poderme apartar de él y de sus obras, en las que él hace caer a quien lo cree y así cometer el mal, y que contra los moros que poseen Ultramar y, con pesar mío, gran parte de España, me dé poder y fuerza para echarlos de aquí.

Otras peticiones, además de éstas, te quiero hacer ahora; que ruegues a tu Hijo que me deje vivir para así poderlo servir, que me dé fuerzas para ir *contra sus enemigos* y les haga abandonar lo que mantienen por la fuerza, que no deben tener, y me guarde de la muerte y de todo peligro, y que vea la alegría de mis amigos y gobernar a mis súbditos con justicia, y emplee bien mis riquezas, y cuantos de mí reciban algo lo sepan agradecer.

Y además te pido, Virgen, buena Señora, que ruegues a tu Hijo que mientras esté aquí en este mundo, quiera que haga lo mejor, para que de Él y de los buenos obtenga siempre su amor; y pues me ha hecho Rey, haga que gobierne según su voluntad y Él sea de mí y de los reinos, que me dio o darme pueda, el protector; y me defienda del falso y del traidor, también del mal consejero, y del que sirve mal y es muy exigente.

Y ya que he comenzado a pedirte, Señora, que me obtengas algunas gracias, ruégale, si Dios lo tiene por bueno, que me libre de los que no saben agradecer lo que se les hace y no quieren prestar su servicio, al contrario buscan el modo de evadirse, no teniendo vergüenza de faltar y de mentir, y del que da su juicio sin ponderarlo, ni otro gran consejo sin prever sus consecuencias, y del hombre equivocado que quiere reprender a otros, y del hombre que juega mal y quiere mucho reír.

Y además ruega por mí, Virgen de buena voluntad, que me guarde tu Hijo del que muestra señales de falsedad en sus obras, y de aquellos que no les cuesta nada cometer vileza y que son desvergonzados, y de quienes por poco servicio muestran una gran fatiga y se envanecen de ella, pero no van muy lejos; y también que me guardes del torpe truhán, y del hombre que acusa, que es peor que un perro, y de quienes no aprecian la lealtad más que un pan, a pesar que hablan mucho de ella.

Y también te pido, espiritual Señora, que ruegues a tu Hijo que *me dé tal sensatez,* que no caiga en pecado mortal y así no tenga miedo del fuego del infierno, y guarde mi vida de desgracias y de mal y del mal amigo, que falla en la gran prueba, y de quien tiene en poco ser desleal, y de aquél que se estima en mucho y no vale nada, y del que en sus hechos siempre es exagerado. Esto es lo que te pido como don, y aún te pediré más:

Señora Santa María, puesto que he comenzado a suplicarte mercedes, no desistiré: por tanto te vuelvo a pedir que, pues tu Hijo me hizo Rey, que me ganes *de él cordura* de la que tengo necesidad, con la que me pueda guardar de aquello que no me guardé, para que de hoy en adelante no yerre como erré, ni emplee mis bienes tan mal como los empleé en algunos lugares que yo sólo me sé, perdiendo mi tiempo y el de aquellos con quien lo gasté; pero de hoy en adelante guárdame, y bien seguro estaré.

Tantas son las gracias, Señora, que hay en ti, que por ellas ruegas a quien toda gracia da a los que ama, pues estoy seguro que lo hará, si Tú lo tuvieses por bien que me dé lo que muchas veces he pedido; que cuando estuviese allí, en el paraíso, te vea a Ti siempre y que por Ti me socorra siempre aquí, y me habrá sido dado el galardón; y quien supiese esto confiará siempre en Ti y, por cuanto me hiciste de bien, te servirá y te amará.

38*

DE LOOR DE SANTA MARIA.

Cantando e con dança
seja por nos loada
a Virgen corõada
que é noss' asperança. 5

Seja por nos loada,
e dereito faremos,
pois seu ben atendemos
e d'aver-o tẽemos
por cousa mui guisada, 10
ca é noss' avogada;
e de certo sabemos
que de Deus averemos
perdon e guannaremos
sa merce' acabada 15
per ela, que á dada
per muitas de maneiras
a nos e dá carreiras
d'avermos perdoança.
Cantando e con dança... 20

---

* *(F* 86). Seis coblas de verso corto de seis sílabas con refrán: A6 B6 A6 B6 / b6 c6 c6 c6 b6 b6 c6 c6 c6 b6 b6 d6 d6 a6. Posible ejemplo de 'danza'.

Porende sse loada
é de Santa Eigreja,
esto conven que seja,
pois gran graça sobeja
per ela an gãada — 25
de Deus, per que onrrada
é de quanto deseja,
de que o dem' enveja
á, e por que peleja
nosco muit' aficada- — 30
mente, non gãa nada;
ca ela todavia
destrue ssa perfia
e dá-nos del vingança.
Cantando e con dança... — 35

Reis e emperadores,
todos comũalmente
a todo seu ciente
deven de bõa mente
dar-lle grandes loores, — 40
ca per ela sennores
son de toda a gente,
e cada ũu sente
dela compridamente
mercees e amores; — 45
e macar peccadores
sejan, a Virgen bõa
mui toste os perdõa,
sen nulla dovidança.
Cantando e con dança... — 50

Des i os oradores
e os religiosos,
macar son omildosos,
deven muit' aguçosos
seer e sabedores — 55

en fazer-lle sabores,
cantando saborosos
cantares e fremosos
dos seus maravillosos
miragres, que son frores 60
d'outros e mui mellores,
est' é cousa sabuda,
ca por nossa ajuda
os faz sen demorança.
Cantando e con dança... 65

Outrossi cavaleiros
e as donas onrradas,
loores mui grãadas
deven per eles dadas
seer, e mercẽe[i]ros 70
e demais deanteiros
en fazer sinaadas
cousas e mui preçadas
por ela, que contadas
sejan, que verdadeiros 75
lles son e prazenteiros,
ca serán perdõados
porende seus pecados,
e guardados d'errança.
Cantando e con dança... 80

Donzelas, escudeiros,
burgeses, cidadãos,
outrossi aldeãos,
mesteiraes, ruãos,
des i os mercadeiros, 85
non deven postremeiros
seer; mais com' irmãos,
todos alçand' as mãos,
con corações sãos,
en esto companneiros 90

deven seer obreiros,
loand' a Virgen Santa,
que o demo quebranta
por nossa amparança.
Cantando e con dança... 95

Bibliografía

Mettmann, III, 409; J. Snow, 97, 103, 268, 354, 374.

Comentario

Joseph Snow *(op. cit.,* núm. 374) ha subrayado el posible nexo entre el tema de esta cantiga y el de la danza de la muerte (siglo XV), no en el sentido de filiación sino en el de encontrar ciertas resonancias comunes a ambos.

El desfile de los tres estados (oradores, cavaleiros, villanos) además de reyes y emperadores, así como la invitación a la danza son elementos comunes, pero la diferencia esencial es el motivo de la convocatoria. Si en la danza de la muerte (o en los más próximos *Versos de la muerte* de Helinando) es el juicio severo e igualitario que los hombres han de sufrir después de la muerte, en el caso de la cantiga es el de la alabanza de María.

Esta invitación es una más de las varias que contiene el cancionero. En la cantiga núm. 36 se dice que todo hombre la debería alabar, como en la núm. 32 se invita a los trovadores a que la alaben con sus trovas. Aquí se invita a todos cuantos componen la sociedad guardando una cierta jerarquía, que se ajusta en cierto modo a la trifuncionalidad propia del tiempo detallada en cuanto al estado de los laboratores, quienes se diversifican en 'donzelas, escudeiros, burgeses, cidadãos, aldeãos, mesteirães, ruanos, mercadeiros'. Los Emperadores y Reyes son la cúpula de la sociedad y son los primeros que deben dar alabanza a la Virgen, ya que gracias a ella son 'sennores de toda la gente'.

Versión

De loor de Santa María.

Razón: Cantando y con danza / sea de todos alabada
la Virgen coronada / que es nuestra esperanza.

Cantar: Sea por nosotros alabada y cumpliremos nuestro deber, pues esperamos su bien y confiamos conseguirlo, porque es nuestra abogada; y también estamos ciertos que lograremos el perdón y la perfecta misericordia gracias a ella, que nos ha dado y nos da mil modos de obtenerla.

Por lo tanto si es alabada por la Iglesia, es razonable, pues por Ella ha conseguido innumerables gracias de Dios por lo que honrada es en cuanto desea y por cuyo motivo la envidia el demonio, quien, a pesar de que mucho forcejea, no consigue nada; pues ella destruye siempre su perfidia y nos consigue la victoria sobre él.

Reyes y Emperadores todos a una y según su entender deben darle de buena voluntad loores, pues por ella son de la gente señores y de ella reciben gracias y favores; y aunque sean pecadores, la bondadosa Virgen los perdona inmediatamente, sin ninguna reserva.

Después de ellos los 'oradores' y los religiosos, aunque humildes, deben ser ingeniosos e inteligentes para ofrecerle sabores, cantando deliciosos y hermosos cantares de sus portentosos milagros, que son, es cosa sabida, la flor de los otros y mucho mejores y ella los hace sin demora por nosotros.

También los caballeros y las honorables damas deben darle cumplidas honras, y ser magnánimos y aun esforzados en hacer cosas notables y de gran 'pro' que sean después proclamadas, pues con ello le serán francos y complacientes y por esto perdonados les serán sus pecados y preservados de todo mal.

Doncellas, escuderos, burgueses, ciudadanos, también los aldeanos, los ministriles, los ruanos y en consecuencia los mercaderes, no deben ser los últimos; sino que como hermanos, alzando todos las manos, con corazones limpios, deben ser en esto compañeros y obreros, alabando a la Virgen Sancta, que vence al demonio para nuestra protección y seguridad.

39*

ES PRIMEIRA É DAS MAYAS.

Ben vennas, Mayo, / e con alegria;
poren roguemos / a Santa Maria
que a seu Fillo / rogue todavia
que el nos guarde / d' err' e de folia. 5
Ben vennas, Mayo.
Ben vennas, Mayo, / e con alegria.

Ben vennas, Mayo, / con toda saude,
por que loemos / a de gran vertude
que a Deus rogue / que nos senpr' ajude 10
contra o dem' e / dessi nos escude.
Ben vennas, Mayo, / e con alegria.

Ben vennas, Mayo, / e con lealdade,
por que loemos / a de gran bondade
que senpre aja / de nos piadade 15
e que nos guarde / de toda maldade.
Ben vennas, Mayo, / e con alegria.

Ben vennas, Mayo, / con muitas requezas;
e nos roguemos / a que á nobrezas

---

* *(To* 1). Catorce estrofas monorrimas con refrán: a10 a10 a10 a10 / N4 A10. Spanke (en H. Anglés, III, 1.ª, 201) hace caer en la cuenta de lo poco común de esta «Romanzenstrophe». Melodía de tono popular.

en ssi mui grandes, / que nos de tristezas 20
guard' e de coitas / e ar d'avolezas.
Ben vennas, Mayo, / e con alegria.

Ben vennas, Mayo, / coberto de fruitas;
e nos roguemos / a que senpre duitas
á sas merçées / de fazer en muitas, 25
que nos defenda / do dem' e sas luitas.
Ben vennas, Mayo, / e con alegria.

Ben vennas, Mayo, / con bõos sabores;
e nos roguemos / e demos loores
aa que senpre / por nos pecadores 30
rog' a Deus, que nos / guarde de doores.
Ben vennas, Mayo, / e con alegria.

Ben vennas, Mayo, / con vacas e touros;
e nos roguemos / a que nos tesouros
de Jeso-Cristo / é, que aos mouros 35
çedo cofonda, / e brancos e louros.
Ben vennas, Mayo, / e con alegria.

Ben vennas, Mayo, / alegr' e sen sanna;
e nos roguemos / a quen nos gaanna
ben de seu Fillo, / que nos dé tamanna 40
força, que sayan / os mouros d'Espanna.
Ben vennas, Mayo, / e con alegria.

Ben vennas, Mayo, / con muitos gãados;
e nos roguemos / a que os pecados
faz que nos sejan / de Deus perdõados 45
que de seu Fillo / nos faça privados.
Ben vennas, Mayo, / e con alegria.

Ben vennas, Mayo, / con bõo verão;
e nos roguemos / a Virgen de chão
que nos defenda / d'ome mui vilão 50

e d'atrevud' e / de torp' alvardão.
Ben vennas, Mayo, / e con alegria.

Ben vennas, Mayo, / con pan e con vĩo;
e nos roguemos, / a que Deus minỹo
troux' en seus braços, / que nos dé camỹo 55
por que sejamos / con ela festinno.
Ben vennas, Mayo, / e con alegria.

Ben vennas, Mayo, / manss' e non sannudo;
e nos roguemos / a que noss' escudo
é, que nos guarde / de louc' atrevudo 60
e d' om' ẽayo / e desconnoçudo.
Ben vennas, Mayo, / e con alegria.

Ben vennas, Mayo, / alegr' e fremoso;
porend' a Madre / do Rey grorioso
roguemos que nos / guarde do nojoso 65
om' e de falsso / e de mentiroso.
Ben vennas, Mayo, / e con alegria.

Ben vennas, Mayo, / con bõos manjares;
e nos roguemos / en nossos cantares
a Santa Virgen, / ant' os seus altares, 70
que nos defenda / de grandes pesares.
Ben vennas, Mayo, / e con alegria.

Bibliografía

Valmar, *Extractos,* XV; Mettmann, III, 406; H. Anglés, III, 1.ª, 376 y 427; J. Snow, 32, 59, 109, 126, 150, 199, 209, 229, 237, 244, 260, 294, 297, 313, 315, 341, 358, 369 bis, 373. Filgueira, «A festas dos Maios», *Arquivos do Seminario de Estudos Galegos,* I, 1927.

Vocabulario

24. 'duitas' acostumbradas.
24. 'luitas' luchas, asechanzas.
36. 'louros' morenos.
49. 'chão (de)' inmediatamente, sin dilación.
51. 'alvardão' hombre trapacero, tramposo.
61. 'eãyo' presuntuoso.
65. 'nojoso' nocivo.

Comentario

La influencia del folklore en la lírica primitiva estuvo ampliamente discutida desde los tiempos de los primeros romanistas (Gaston Paris, Jeanroy, Menéndez Pidal). Estudios de conjunto sobre los Mayos los debemos a Rodrigues Lapa y González Palencia. Esta cantiga, según el epígrafe, debía encabezar un grupo de cantigas que, o bien no se escribieron o se perdieron.

Se atribuye también a Alfonso X una muy bella cantiga de maldizer: *Non ven al maio* (núm. 42 de esta antología), que nos ofrece uno de los motivos que solía exaltar el hombre medieval, las guerras de primavera. También eran motivos ocasionales del mes de mayo las bodas y las fiestas populares. Pero el que ha prevalecido en la Iglesia no ha sido otro que el culto mariano.

En esta primera de las mayas lo que predomina es la alegría, cuyos motivos se van enumerando y van desde la salud y la lealtad a los frutos, que suelen estar próximos a su recolección. La naturaleza es una buena compañera del hombre medieval y de ahí su exaltación en este mes en el que la vida orgánica y vegetativa logra sus manifestaciones evidentes, después de un largo letargo. Pero si este motivo de entusiasmo por la naturaleza ocupa seis estrofas, otras tantas dedica Alfonso X a suplicar a María las peticiones que ya contiene la 'Pitiçon' *(E* 401 *To* 100). Casi con las mismas palabras ('aos mouros confonda' 'que sayan os mouros d'Espanna' 'nos defenda d'ome... alvardão...) que las de aquélla, y que sirven de recordatorio.

Las dos últimas estrofas son conclusivas, y en ellas aparece de modo explícito la Virgen a la cual dirige sus súplicas resumen.

Versión

> Bienvenido, Mayo, y con alegría;
> por esto roguemos a Santa María
> que pida a su Hijo aún todavía
> que de pecado y locura nos guarde.
>   Bienvenido, Mayo.
> Bienvenido seas, y con alegría.

Bienvenido seas, Mayo, con todo esplendor, para que alabemos a la Poderosa quien a Dios ruegue que nos ayude siempre contra el demonio y sea nuestro escudo.

Bienvenido seas, Mayo, con tu gran lealtad, para que alabemos a la Bondadosa y que ella tenga piedad de nosotros en todo momento y nos guarde de toda maldad.

Bienvenido seas, Mayo, con tu gran abundancia; y nosotros pidamos a la todo Nobleza, que nos guarde de las grandes tristezas y de los cuidados y de las vilezas.

Bienvenido seas, Mayo, repleto de frutos; y nosotros roguemos a quien sus múltiples gracias tiene siempre prontas para concederlas, que nos libre del demonio y sus asechanzas.

Bienvenido seas, Mayo, el de los buenos sabores; y nosotros pidamos y demos loores a la que siempre intercede ante Dios por los pecadores, que nos guarde de todo dolor.

Bienvenido seas, Mayo, con toros y vacas; y nosotros roguemos a quien es tesoro de Jesucristo, que pronto confunda a los moros, ya sean blancos ya sean morenos.

Bienvenido seas, Mayo, alegre y sin saña; y nosotros pidamos a quien nos consigue todo bien de su Hijo, que nos dé fuerzas suficientes, para que logremos que los moros salgan de España.

Bienvenido seas, Mayo, el de los muchos ganados; y nosotros roguemos a quien consigue que nuestros pecados nos sean de Dios perdonados, que nos haga amigos de su Hijo.

Bienvenido seas, Mayo, con el buen verano; y nosotros pidamos a la Virgen que sin dilación nos defienda del hombre villano y del atrevido y del torpe embustero.

Bienvenido seas, Mayo, con pan y con vino; y nosotros roguemos a quien llevó en sus brazos a Dios hecho niño, que nos otorgue camino para que pronto estemos con ella.

Bienvenido seas, Mayo, manso y no sañudo; y nosotros pidamos a quien es nuestro escudo, que nos guarde del loco atrevido, de cualquier vanidoso y del desconocido.

Bienvenido seas, Mayo, alegre y hermoso; y por esto roguemos a la Madre del Rey glorioso que nos guarde de hombre maligno y del falso y del insidioso.

Bienvenido seas, Mayo, el de los buenos manjares; y nosotros roguemos en nuestros cantares a la Virgen Santa, ante sus altares, que nos defienda de los grandes pesares.

Cantigas profanas

40*

Vi un coteife de mui gran granhon,
con seu porponto, mais non d'algodon,
e con sas calças velhas de branqueta.
E dix'eu logo: — Poi-las guerras son,
ai, que coteife pera a carreta! 5

Vi un coteife mao, val[a]di,
con seu porponto — nunca peior vi,
ca non quer Deus que s'el en outro meta.
E dix'eu: —Poi-las guerras [já son i],
ai, que coteife pera a carreta! 10

Vi un coteife mal guisad'e vil,
con seu perponto todo de pavil
e o cordon d'ouro fal[so] por joeta.
E dix'eu: — Pois se vai o aguazil,
ai, que coteife pera a carreta! 15

* *(CBN* 479, *CV* 62). Cantiga de tres estrofas singulares de cuatro versos más refrán: a10 a10 b10' a10 B10. Tavani, *Rep.* 18, 46, 33, 6. Capdenals. Escarnio político. Paralelística (verbal: «vi un coteife», «porponto», «guerra»).

Bibliografía

R. Lapa, *CEM,* 9; Machado, 424.

Vocabulario

1. «Coteife», arabismo, 'soldado conocido por su codicia' (E. Neuvonen, «Los arabismos...», *Bol. Fil.,* XII, 1951, 325); 'soldado inferior, barbudo, ridículo y mal trajeado' (R. Lapa, *CEM,* 11); 'caballero villano' (Tavani, *GRLMA,* III, 1.º, 310). En la España de la Reconquista se dieron estos caballeros villanos, que no eran nobles, sino labriegos que vivían en las villas o poblaciones de las tierras repobladas del valle del Duero *(Valdeav.* 326) y prestaban sus servicios en las guerras contra el moro.
2. «porponto», 'gonel o sayo, de tejido un tanto grueso, acolchado' (G. Lovillo, 21).
3. «branqueta», 'tejido caro, pero muy manido'.
5. «pera a carreta», *sent. fig.* 'servicios inferiores de retaguardia'.
12. «pavil», 'pabilo'. Torcida o cordón de hilo, algodón, etc., que está en el centro de la vela o antorcha para que, encendida, alumbrase. *DRAE.*
14. «aguazil», arabismo, 'oficial inferior'.

Comentario

Cantiga irónica dirigida a los caballeros villanos, quienes, venidos de las tierras del Valle del Duero, se presentaban con atuendo burdo y ostentoso, poco preparados para la lucha. Debió ser una diversión cortesana ridiculizarlos y reírse de sus pretensiones, cuando sólo servían para arrastrar las carretas.

«Como todos los catecúmenos —dice Sánchez Albornoz— —extremaban los nuevos caballeros el respeto a los ritos de la religión nobiliaria que habían profesado... Vivían por ello celosamente sujetos al rigor del gesto aristocrático, para no poner en peligro su nueva dignidad... Y ese celo, a la par dramático y cómico..., llevó a la postre al hidalguismo» *(España, un enigma,* I, 672).

Versión

Vi un coteife de grandes barbas, con su perpunte, aunque no de algodón, y con sus calzas viejas de branqueta (manidas). Y dije: «Pues hay guerra, ¡ea!, ¡qué coitefe para carreta!»

Vi un coitefe malo, baladí, con su perpunte —nunca lo vi peor, y no quiera Dios que se vista otro—. Y dije: «Pues la guerra ya está aquí, ¡ea!, ¡qué coitefe para carreta!»

Vi un coitefe mal vestido y vil, con su perpunte todo de pabilo y como adorno un cordón de oro falso. Y dije: «Pues se va el alguacil, ¡ea!, ¡qué coiteife para carreta!»

41*

De grado queria ora saber
destes que tragen saias encordadas,
en que s'apertan mui poucas vegadas,
se o fazen polos ventres mostrar,
por que se devan deles a pagar 5
san senhores, que non tẽe pagadas.

Ai Deus! se me quisess' alguen dizer
por que tragen estas cintas sirgadas
muit' anchas, come molheres prenhadas:
se cuidan eles per i gaanhar 10
ben das con que nunca saben falar,
ergo nas terras se son ben lavradas.

Encobrir non vo-lhas vejo fazer
cõnas pontas dos mantos trastornadas,
en que semelhan os bois das ferradas, 15
quando as moscas los vẽe coitar;
nen se as cuidan per i d'enganar
que sejan deles poren namoradas.

Outrossi lhis ar vejo [i] trager
as mangas mui curtas e esfraldadas, 20

---

* *(CBN* 492, *CV* 75) R. Lapa *CEM* 22. Cuatro estrofas unisonantes: a10 b10 b10 c10 c10 b10 (Tavani, *Rep.* 18, 8, 193: 2). Cantiga de escarnio contra ciertos hidalgos provincianos que presumían de su atuendo.

ben come se adubassen queijadas
ou se quisessen tortas amassar;
ou quiçá o fazen por delivrar
sas bestas, se fossen acovadadas.

Afonso (Rei D.) de Castela e de Leon.

Bibliografía

Machado, 437. Sempere, I, 88-89; Ballesteros, 201-203.

Vocabulario

2. «saias encordadas», «túnica de mangas estrechas, abierta por el cuello y no más larga de la rodilla, caracterizada por una abertura lateral, siempre en el costado izquierdo, lazada mediante una cinta» (G. Lovillo, 54).
8. «Cintas sirgadas», 'cintas de seda'.
14. «conas pontas dos mantos trastornadas». El manto era la pieza noble del atavío medieval. En las *Partidas* se describe *(Partida* II, XXI, 17) el manto «caballeroso», que solía estar anudado sobre el hombro derecho. En nuestro caso parece que las puntas extremas del manto las cruzaban con desorden a un lado u otro. (Así lo da a entender la imagen de los bueyes espantándose las moscas con el rabo en los versos que siguen.)
15. «ferradas», 'yugadas', 'yunta de bueyes'.
20. «esfraldadas», 'arremangadas'.

Comentario

El 27 de febrero de 1256 Alfonso X expide un ordenamiento en Sevilla en el que se prohíbe 'batonar paños, entallarlos, felparlos... adornarlos con lentejuelas de oro, con cintas de seda' y ordena que todos los paños sean sencillos. Todo lo más que se admitía era adornar con piel de conejo o de nutria los perfiles y el cuello del manto. Cualquiera que trasgrediese alguna de estas cosas, ya fuera caballero o rico hombre, sería sancionado.

Estaba esto justificado por el intento del legislador de contener despilfarros y boatos innecesarios. Contener, además, a cada uno en su clase social, evitando el pugilato entre ellas. Así, también, evitar que los ricos-hombres vistieran a la par del rey.

Estas leyes suntuarias que habrían de reiterarse en 1258 en las Cortes de Valladolid no parece que se cumplieran con especial rigor, según muestra la cantiga, de ahí que también se acudiese a ridiculizar a aquellos que se excedían vistiendo fanfarronamente.

Aquí, además, la ridiculez aumenta al subrayar que este vestir jactancioso es lo único con que cuentan para enamorar, pues sus sayas no se abren muchas veces (!), ni saben hablar con las damas, ni ocultarlas bajo el manto, frases que no dejan de tener su doble sentido.

Versión

Con gusto querría saber de aquellos que visten sayas encordadas, de las que se abren pocas veces, a no ser para sacar la barriga, por qué se ufanan de ellos sus señoras, que no tienen satisfechas.

¡Ay, Dios! si alguien me quisiese decir por qué traen cintas de seda tan anchas como mujeres preñadas; si piensan con esto ganar el favor de aquéllas, con las que no saben hablar de otra cosa, a no ser si las tierras están o no labradas.

No os las veo ocultar con las puntas del manto en movimiento desordenado, pareciendo una yunta de bueyes, que se espanta las moscas; ni se preocupan de engañarlas con él para que sean de ellos enamoradas.

Además los veo también llevar mangas cortas y arremangadas como quien adornase un pastel o tortas amasara; o quizás las llevan para (poder) liberar sus bestias apareadas.

42*

O que da guerra levou cavaleiros
e a sa terra foi guardar dinheiros,
non ven al maio.

O que da guerra se foi con maldade
[e] a sa terra foi comprar erdade, 5
non ven al maio.

O que da guerra se foi con nemiga,
pero non veo quand' é preitesia,
non ven al maio.

O que tragia o pano de linho, 10
pero non veo polo Sam Martinho,
non ven al maio.

O que tragia o pendon en quiço
e non erda de seu padre o viço,
non ven al maio. 15

O que tragia o pendon sen oito
e a sa gente non dava pan coito,
non ven al maio.

---

* *(CBN* 496; *CB* 117; *CV* 79). Quince estrofas de dos versos decasílabos más refrán de cuatro sílabas: a10' a10' N4'. (Tavani, *Rep.* 18, 29, 88) Capdenals. Escarnio político. Paralelística.

O que tragia o pendon sen sete
e cinta ancha e mui gran topete, 20
non ven al maio.

O que tragia o pendon sen tenda,
per quant' agora sei de sa fazenda,
non ven al maio.

O que se foi con medo dos martinhos 25
e a sa terra foi bever los vinhos,
non ven al maio.

O que, con medo, fugiu da fronteira,
pero traiga pendon sen caldeira,
non ven al maio. 30

O que [ar] roubar os mouros malditos
e a sa terra foi roubar cabritos,
non ven al maio.

O que da guerra se foi con espanto
e a sa terra ar foi armar manto, 35
non ven al maio.

O que da guerra se foi con gran medo
contra sa terra, esporgendo vedo,
non ven al maio.

O que tragia pendon de cadarço, 40
marcar non veo eno mês de março,
non ven al maio.

O que da guerra foi per retraudo,
macar en Burgos fez pintar escudo,
non ven al maio. 45

Afonso (Rei D.) de Castela e de Leon.

Bibliografía

R. Lapa, *CEM*, 26; Machado, 441; Michaelis, *Randgl.* VI, 293-294; G. Solalinde, *Ant.* 66. A. Juárez, «Martinho una denominación heroico-cristiana...», *I Congreso de Asoc. Hisp. de Lit. Medieval*, 1985.

Vocabulario

3. «non ven al maio», 'no viene al mayo'. Quiere decir 'no viene al alarde', revista de las tropas y sus efectivos que solía producirse en el mes de mayo.
7. «se foi con nemiga», 'se fue hostilmente'. Machado propone «vennya». Tanto Michaëlis como Lapa justifican la rima en asonante, que aquí se da, acudiendo a otros ejemplos.
13. «pendon en quiço», 'pendón en quicio'. El pendón era una insignia militar, rectangular, que usaban los señores que llevaban más de diez caballeros y menos de cincuenta. Quicio tiene que ver con la puerta, madero que asegura puertas y ventanas, y que en este caso debe referirse a la costumbre de poner el pendón en la puerta de la tienda del señor que mandaba la mesnada.
14. «veço», 'vicio'. Gusto especial, afición excesiva a una cosa.
16. «sen oito», como también «sen sete» (v. 19), es una clara alusión al número mínimo de caballeros que debía traer todo noble a la guerra (10 caballeros), no cumplido por los aludidos.
22. «sen tenda», 'sin tienda'. Alude a la obligación que tenía el Señor de dar su salario correspondiente al soldado de su mesnada.
25. «martinhos», término no muy aclarado todavía, según Lapa, pero para el que A. Juárez ha propuesto una solución que parece aceptable: 'cenetes', guerreros aludidos en otra ocasión con el mismo término *(CEM* 21), relacionados con San Martín por su briosidad en montar a caballo.
29. «sen caldeira». El llevar la «caldera» en el pendón significaba que podían levantar gente para la guerra. En

nuestro caso se trata del simple señor que había participado a título individual.

35. «armar manto», 'armar la revuelta, la traición'. De la costumbre de llevar oculta la espada con el manto para defenderse se pasó también a ocultarlo para traicionar. En la *Primera Crónica General* Vellido Dolfos lo viste para consumar su traición, entregándoselo al portero al salir de Zamora.

40. «pendon de cadarço», 'pendón de cadarzo', de seda basta. *DRAE.*

Comentario

Sátira política contra aquellos nobles, desleales, que no prestaron su apoyo a Alfonso X en su lucha contra el rey moro de Granada o la invasión de los benimerines. López Aydillo cree que hay que referirla al momento en que el propio hermano del Rey, Don Felipe, con unos cuantos nobles se refugiaron en el reino de Granada («Los Cancioneros...», *RH,* 1923, 423). Pero todo hace creer que critica, de nuevo, la molicie de la nobleza que prefiere guardar el dinero, comprar heredades, vestir lujosamente, beber vino... que venir a cumplir con sus obligaciones militares.

Hay una clara insinuación a determinados pendones nobiliarios; «sen caldeira», «pendon de cadarço». Ciertas casas nobiliarias se resistieron siempre a la prestación de sus servicios, tales como los Haro y los Núñez de Lara.

Versión

El que de la guerra se llevó sus caballeros y a su tierra se fue a guardar el dinero, no viene al mayo.

El que de la guerra se fue con malicia y a su tierra se fue a comprar heredad, no viene al mayo.

El que de la tierra se fue hostilmente, aun cuando no vino a ninguna avenencia, no viene al mayo.

El que traía paño de lino, aunque no vino por San Martín, no vino al mayo.

El que traía pendón a la puerta y no hereda de su padre el gusto (o afición a la guerra) no viene al mayo.

El que traía pendón sin ocho (caballeros) y a su gente no daba pan cocido, no viene al mayo.

El que traía pendón sin siete (caballeros) y cinta ancha y gran copete (penacho), no viene al mayo.

El que traía el pendón sin tienda, por lo que ahora sé de su fachenda ('jactancia'), no viene al mayo.

El que se fue por miedo a los martinos (cenetes) y se fue a su tierra a beber vino, no viene al mayo.

El que con miedo, huyó de la frontera, aunque traía pendón sin caldera, no viene al mayo.

El que además de robar a los moros malditos se fue a su tierra a robar cabritos, no viene al mayo.

El que se fue de la guerra con espanto y se fue a su tierra a armar manto (la revuelta), no viene al mayo.

El que de la guerra se fue con gran miedo hacia su tierra, (y) lo veo expoliando, no viene al mayo.

El que traía pendón de cadarzo (seda), aunque no vino en el mes de marzo (mes de los tributos), no viene al mayo.

El que se fue tímido de la guerra, aunque en Burgos se hizo pintar escudo, no viene al mayo.

43*

O genete
pois remete
seu alfaraz corredor:
estremece
e esmorece 5
o coteife con pavor.

Vi coteifes orpelados
estar mui mal espantados,
e genetes trosquiados
corrian-nos arredor; 10
tiinhan-nos mal aficados,
[ca] perdian-na color.

Vi coteifes de gran brio
eno meio do estio
estar tremendo sen frio 15
ant' os mouros d'Azamor;
e ia-se deles rio
que Aguadalquivir maior.

* *(CBN* 491, *CV* 74-74a). Cinco estrofas: a7 a7 a7 b7 a7 b7, más una inicial: a3 a3 b7 c3 b7, que R. Lapa denomina 'refram' aunque admite que es dudoso que pertenezca a esta composición. Escarnio político. (Tavani, *Rep.* 18, 28; 13, 59.) Capdenals.

Vi eu de coteifes azes
con infanções malvazes 20
mui peores ca rapazes;
e ouveron tal pavor,
que os seus panos d'arrazes
tornaron doutra color.

Vi coteifes con arminhos, 25
conhecedores de vinhos,
que rapazes dos martinhos,
que non tragian senhor,
sairon aos mesquinhos,
fezeron todo peor. 30

Vi coteifes e cochões
con mui [mais] longos granhões
que as barvas dos cabrões:
ao son do atambor
os deitavan dos arções 35
ant' os pees de seu senhor.

Afonso (Rei D.) de Castela e de Leon.

Bibliografía

R. Lapa, *CEM,* 21; Machado, 441; Michaëlis, *Randgl.,* VI, 289-90; A. Juárez, «Martinho 'una denominación heroico-cristiana'», *I Congr. de la Asoc. Hisp. de Lit. Medieval,* 1985.

Vocabulario

3. «alfaraz», arabismo, 'caballo'.
5. «esmorece», 'perder el ánimo'.
7. «coteifes», 'caballeros villanos *(Vid.* núm. 40).
7. «orpelados», 'adornados de oropel'. El uso de oropeles estaba regulado por el Ordenamiento de 1256, en Sevilla, y no podían aplicarse a las sillas, pero sí a los perpuntes y las insignias y cintas (Sempere, 87).

9. «trosquiados», 'rapados los cabellos'.
17. «ia-se», vb. «ir», 'se les iba'.
19. «azes», 'escuadrones'.
23. «arrazes», 'de Arras' (Francia). Decir de Arras, era como decir paño caro, venido de fuera (Mettmann, *ZRPh*, 82, 314).
27. «rapazes dos martinhos», 'criados de los martinos'. «Martinho», voz no bien aclarada todavía, cuenta hoy día con una interpretación que estaría en consonancia con el contexto; se referiría a los «genetes», 'cenetes', 'ágiles en montar a caballo', tribu de beréberes que prestaban su servicio a quien mejor les pagaba, de ahí «que non tragian senhor» (A. Juárez, *ob. cit.*).

Comentario

Escarnio de carácter político dirigido contra los caballeros villanos, quienes sienten miedo de los cenetes, tribu guerrera del Sur de Gran Atlas (Marruecos), que prestó sus servicios al mejor postor y que se caracterizó por su gran dominio en la monta del caballo.

Aunque presente en España desde los tiempos de Alfonso VIII, tuvieron una intervención muy peculiar con la venida de los benimerimes a la Península. Su fama de buenos 'jinetes' (voz, que se deriva de su denominación) y de excelentes guerreros se deba, quizás a estas ponderaciones de la cantiga. No obstante, la intención de la misma es ridiculizar a los «coteifes», caballeros de segundo orden, de origen labriego, que no habían sido preparados para la milicia.

Versión

Después que el cenete espolea su caballo veloz; el coteife se estremece y se desmorona de pavor.

Vi coteifes cubiertos de oropel estar muy espantados, y cenetes trasquilados nos corrían en derredor; nos tenían acorralados, y perdían su color.

Vi coteifes de gran brío en medio del estío estar temblando sin frío ante los moros de Azamour (junto al río Oumer-Rebia, Marruecos); y salíales un río mayor que el Guadalquivir.

Vi coteifes a montón con malvados infanzones mucho peor que escuderos; y tuvieron tal pavor, que sus paños de Arrás les cambiaron de color.

Vi coteifes con armiños, conocedores de vinos, que criados de los martinos, que no traían señor, les salieron a los mezquinos, y los hicieron peor.

Vi coteifes y villanos (marranos) con muy grandes mostachos más que las barbas de un cabrón, que al son del tambor les echaban de los arzones ante los pies de su señor.

44*

Joan Rodriguiz foy osmar a Balteira
sa midida, per que colha sa madeira;
e diss(lh)e: — Se ben queredes fazer,
de tal midid' a devedes a colher,
[assi] e non meor, per nulha maneira. 5

E disse: – Esta é a madeira certeira,
e, de mais, nõna dei eu a vós sinlheira;
e pois que s'en compasso á de meter,
atan longa deve toda [de] seer,
[que vaa] per antr' as pernas da 'scaleira. 10

A Maior Moniz dei já outra tamanha,
e foi-a ela colher logo sen sanha;
e Mari'Airas feze-o logo outro tal,
e Alvela, que andou en Portugal;
e elas x'a colheron [ẽ]na montanha. 15

E diss': —Esta é a midida d'Espanha,
ca non de Lombardia nen d'Alamanha;
e por que é grossa, non vos seja mal,

* *(CBN* 481, *CV* 64). Cuatro estrofas, doblas: a11' a11' b11 b11 a11' (Tavani, *Rep.*, 18, 21, 38, 1). Capdenals v. I, II y IV. Maldecir. «Ata fiinda» (desarrolla «midida» y «madeira»).

ca delgada pera greta ren non val;
e desto mui mais sei eu ca Abondanha. 20

Bibliografía

R. Lapa, *CEM*, 11; Machado, 426; Michaëlis, *Randgl.*, VII, 669; M. Pidal, *Poesía jugl.*; Ballesteros, *Alfonso X*, 250

Vocabulario

1. «osmar», 'calcular' (la medida).
3. «colha», *vb.* «colher», 'coger', 'escoger'.
8. «compasso», 'acompasadamente'.
10. «as pernas da scaleira», 'piernas de la escalera' (dícese de los dos palos o pies derechos sobre los que descansa la escalera).
20. «Abondanha», lectura de Lapa. Todo parece indicar que es una desinencia obligada por la rima, pero que debe prevalecer «abonda», su radical.

Comentario

Maldecir dirigido contra Joan Rodríguez, posible alarife real, satirizado por su excesiva preocupación en conocer el tamaño de la madera que había de emplear en la reconstrucción de una casa propiedad de la Balteira, famosa soldadera, donde solían buscarse otras cosas que las que motivan el escarnio. Aquí se aducen nombres de otras tantas soldaderas y se juega con la ambigüedad de verbos como «colher», «meter» y términos como «longa», «grosa» y «delgada» y «greta», impregnados de intenciones obscenas.

María Pérez, la Balteira, es objeto de muchas sátiras entre los trovadores que frecuentaron el Palacio. Su fama se extiende entre 1257 a 1267. Hay que pensar que este maldecir sería compuesto en este tiempo. Así como el doble sentido de su contenido constituiría la diversión de cuantos conocieron a los dos personajes.

Versión

Juan Rodríguez fue a calcular su medida a la Balteira, para que ella escoja su madera; y le dijo: «Si lo queréis hacer bien la debéis escoger de tal medida, de ninguna manera menor.»

Y dijo: «Esta es la medida exacta, y, por lo demás, no os la doy yo a vos sola; y puesto que la he de colocar con cuidado debe ser así de larga, pues irá entre las piernas de la escalera. A Mayor Muñiz di otra semejante, y ella la cogió sin disgusto; y María Airas di otra tal, y, a Alvela, la que se fue a Portugal; y ellas la tuvieron que coger en la montaña.»

Y dijo: «Esta es la medida de España, y no la de Lombardía ni la de Alemania; y porque sea gruesa, no os parezca mal, que la delgada para la grieta no vale nada; y de esto se yo más que Abondaña.»

45*

Pero da Ponte, parou-se-vos mal:
per ante o Demo do fogo infernal,
por que con Deus, o padre spirital,
minguar quisestes, mal perq' escreestes.
　　E ben vej' ora que trobar vos fal, 5
　　pois vós tan louca razon cometestes.

E pois razon [a]tan descomunal
fostes filhar, e que tan pouco val,
pesar-mi-á en, se vos pois a ben sal
ante o Diaboo, a que obedeecestes. 10
　　E ben vej' ora que trobar vos fal,
　　pois vós tan louca razon cometestes.

Vós non trobades come proençal,
mais come Bernaldo de Bonaval;
por ende non é trobar natural, 15
pois que o del e do Dem' aprendestes
　　E ben vej' ora que trobar vos fal,
　　pois vós tan louca razon cometestes.

E poren, Don Pedr', en Vila Real,
en mao ponto vós tanto bevestes. 20

---

* *(CBN* 487, *CV* 70]. Tres estrofas unisonantes, más refrán de dos versos y una finida de dos. a10 a10 a10 b10 A10 B10 + A10 B10 (Tavani, *Rep.*, 18, 34; 13, 29) Capfinida. Maldecir «Ata fiinda» (desarrolla: «trobar» y «razon»).

Bibliografía

R. Lapa, *CEM,* 17; Machado, 432. Pellegrini, *Annali Ist. Or. sez. rom.*, III (1961), 128130; De Lollis, *Homenaje M. Pidal,* I, 625; Alvar-Beltrán, 182-184; A. Juárez, «Nuevos puntos de vista...», *Estudios Románicos dedicados al prof. Soria,* I, 409-422.

Vocabulario

4. «minguar», 'menguar, faltar' («minguar con Deus», pleitear con Dios).
5. «trobar vos fal», 'os falta (tenéis deficiencias) en el trovar' («Eguar» y «falir», son términos contrapuestos relacionados con la métrica. La acusación es la de no ser cuidadoso con letra y música, como lo eran los provenzales. La de no observar la conveniencia retórica).
6. «louca razon», 'motivo loco' 'argumentación extraña' 'motivo exagerado' 'motivo fuera de uso' (hay que relacionarlo con el verso que sigue: «razon atan descomunal»).
15. «trobar natural», 'modo acompasado' 'argumentación natural (no ficticia)'; 'trovar provenzal'.
20. «en mao ponto vos tanto beveste», alusión al incidente que costó la vida a Alfonso Eanes do Cotom, muerto en una taberna después de un altercado y cuya muerte se le atribuyó a Pero da Ponte.

Comentario

Maldecir dirigido a Pero da Ponte criticándole sus deficiencias en la métrica y en sus motivos exagerados en el contenido. Todo parece concentrarse en el trovar a lo provenzal, máxima aspiración de esta generación.

Alfonso X le recrimina que aun siga los modelos anticuados, como sería Bernardo de Bonaval, trovador ya anciano, satirizado por sus contemporáneos tanto por su desaliño en el componer canciones, como por su vida privada.

No parece que las frases altisonantes de «minguar con

Deus» y «a ben sal ante o Diaboo» puedan encerrar mayor sentido del que en definitiva tienen otras expresiones semejantes como «dou ao demo os outros amores» (núm. 3). Todo parece redundar en la crítica de sus motivos desusados como cantar el desamor de las damas, la responsabilidad que por él exigirá, su posible venganza, acciones para las que pide ayuda al mismo Dios. Despropósito que indudablemente era contrario a cuanto el amor cortés dictaba.

Versión

Pedro da Ponte, mal os salen las cosas: pues escribisteis mal ante el Demonio del fuego infernal, al querer polemizar con Dios.

Y pues razón tan desusada quisisteis emprender, y que tan poco vale, bien me pesa, si os sale bien ante el diablo, cuya obediencia seguís. Y ahora veo con claridad que falláis en vuestro trovar, pues acometisteis tan extraña razón.

En verdad no trováis como provenzal, sino como Bernardo de Bonaval; en consecuencia, no es un trovar natural, pues de él y del demonio lo aprendisteis.

Y ahora veo con claridad que falláis en vuestro trovar, pues acometisteis tan extraña razón.

Y por esto, Don Pedro, en Villa Real, en mal momento bebisteis tanto.

46*

O que foi passar a serra
e non quis servir a terra,
e ora, entrant' a guerra,
    que faroneja?
Pois el agora tan muito erra, 5
    maldito seja!

O que levou os dinheiros
e non troux' os cavaleiros,
e por non ir nos primeiros,
    que faroneja? 10
Pois que ven cõnos postumeiros,
    maldito seja!

O que filhou gran soldada
e nunca fez cavalgada,
e por non ir a Graada 15
    que faroneja?
Se é ric' omen ou á mesnada,
    maldito seja!

O que meteu na taleiga
pouc' aver e muita meiga, 20

---

* (*CBN* 494, *CV* 77). Cuatro estrofas singulares de cuatro versos monorrimos más estribillo, formado por versos 4.º y 6.º: a7' a7' a7' B4' a9' B4' (Tavani, *Rep.*, 18, 30; 13; 72). Capdenals. Escarnio político. Paralelística.

e por non entrar na Veiga
que faroneja?
Pois chus mol[e] é que manteiga,
maldito seja!

Afonso (Rei D.) de Castela e de Leon.

Bibliografía

R. Lapa, *CEM*, 24; Machado, 439; Michaëlis, *Randgl.*, VI, 292; Pellegrini, *Ausswahl*, 24; Gonçalves-Ramos, 38; Alvar-Beltrán, 52.

Vocabulario

3. «entrante», 'al entrar' (cuando se está para entrar).
4. «faroneja», voz de etimología aun no aclarada: «farolea».
11. «postumeiros», 'postreros', 'últimos'.
20. «meiga», 'impostura', 'astucia'.

Comentario

Del ciclo de las guerras de Granada (1264-65). Ironiza sobre aquellos que se dirigieron a la guerra, pero no participaron en ella, ufanándose después.

Lo que resalta es la mentira («muito erra»), la capciosidad («non ir dos primeiros») y la astucia («muita meiga») con que muchos de los ricos-hombres se libraron de entrar en la contienda, jactándose después de haberlo hecho. Por eso, con cierta indignación, el Rey los maldice y descubre sus artimañas.

Todos señalan el ritmo del verso y el efecto fónico de «faroneja», voz no aclarada del todo.

Versión

Quien pasando la sierra (de Despeñaperros) no quiso servir al reino y ahora, quando se está para entrar en guerra, ¿de qué farolea? Puesto que él ahora miente, ¡maldito sea!

Quien cogió los dineros y no trajo caballero y por no ir de los primeros, ¿de qué farolea? Puesto que vino con los postreros, ¡maldito sea!

El que metió en la talega poco haber y mucha impostura, y por no entrar a la Vega ¿de qué farolea? Pues es más blando que manteca, ¡maldito sea!

47*

Non me posso pagar tanto
do canto
das aves nen de seu son,
nen d'amor nen de mixon
nen d'armas — ca ei espanto, 5
por quanto
mui perigo[o]sas son,
— come dun bon galeon,
que mi alongue muit' aginha
deste demo da campinha, 10
u os alacrães son;
ca dentro no coraçon
senti deles a espinha!

E juro par Deus lo santo
que manto 15
non tragerei nen granhon,
nen terrei d'amor razon
nen d'armas, por que quebranto
e chanto
ven delas toda sazon; 20
mais tragerei un dormon,

---

* *(CBN* 480, *CV* 63). Cuatro estrofas doblas de pie quebrado: a7 a2 b7 b7 a7 a2 b7 b7 c7 c7 b7 b7 c7: «canto di sconforto», Tavani, *Rep.* 18, 26; 41, 11. Cantiga de carácter moral. Canto del desengaño. Dobre: «alacran» en todas las estrofas; en la 1.ª, en plural.

e irei pela marinha
vendend' azeit' e farinha;
e fugirei do poçon
do alacran, ca eu non 25
lhi sei outra meezinha.

Nen de lançar a tavlado
pagado
non sôo, se Deus m' ampar,
aqui, nen de bafordar; 30
e andar de noute armado,
sen grado
o faço, e a roldar;
ca mais me pago do mar
que de seer cavaleiro; 35
ca eu foi já marinheiro
e quero-m' ôi-mais guardar
do alacran, e tornar
ao que me foi primeiro.

E direi-vos un recado: 40
pecado
nunca me pod' enganar
que me faça já falar
en armas, ca non m'é dado
(doado 45
m'é de as eu razõar,
pois-las non ei a provar);
ante quer' andar sinlheiro
e ir come mercadeiro
algũa terra buscar, 50
u me non possan colpar
alacran negro nem veiro.

Bibliografía

R. Lapa, *CEM,* 10; Machado, 425; Michaëlis, *ZRPh,* XXV, 279-280; De Iollis, *St. Fr.,* VIII, 383-386; Pellegrini, *Auswahl,* 23. Gonçalves Ramos,

93-95; Alvar-Beltrán, págs. 180-181; V. Bertolucci, *Est. Alfonsies*, páginas 91-117.

Vocabulario

4. «mixon», 'esfuerzo', 'dispendio' «paga abundante» (debida por la siega). (Podría significar 'canto de cosecha' o 'de siega', si lo tomamos como un miembro más, dependiente de «canto».) Gonçalves propone «ambiçon».
5. «d'armas», «de las armas» (canto) de armas. Dante llama a Bertran de Born «el cantor de las armas», por sus sirventeses bélicos.
17. «d'amor razon», 'razón de amor', 'canción de amor' (De nuevo renuncia a cantar al amor y las armas).
21. «dormon», 'dromon', 'navío de carga', 'bergantín'.
27. «lançar a tavlado». El «bafordar» era un juego de armas que consistía en lanzar armas cortas contra un tablado.
31. «andar de noute armado», las Partidas ordenan que el caballero debía permanecer armado durante la noche *(Part.*, II, 21, 19).
33. «roldar», 'andar de ronda', hacer la ronda.
36. «foi ja marineiro». Muchos de los viajes de Alfonso X de Sevilla al Puerto los hizo en barco.
41. «Pecado», 'el demonio'.
43. «falar en armas», 'hablar de armas', cantar las armas.
51. «culpar» (R. Lapa) mejor «colpar», 'golpear', 'picar'.

Comentario

Cantiga de carácter moral, en la que todos los comentaristas han visto un canto de desengaño que Alfonso X habría entonado cuando las cosas le iban mal.

Quien conozca las vicisitudes del rey Alfonso difícilmente puede interpretar esta cantiga como canción desprovista de sentimiento personal, como opinaba Carolina Michaëlis, o una versión onírica de su existencia, como opina Peter Dronke *(La lírica...*, 287). La coincidencia de sentimientos con la cantiga de Santa María 36 aboga por una identidad de autor de ambas composiciones. Esta muestra su desengaño como trovador (est. 2.ª), como caballero (est. 3.ª) y como guerrero (est. 4.ª), prefiriendo recluirse en la vida menos comprometida de un burgués, vida mucho más tranquila que la de un hombre público.

Versión

No me puedo ufanar tanto del canto de las aves ni de su gorgeo, ni del amor, ni de la paga abundante, ni de las armas —porque me espanta su gran peligrosidad— como de un galeón que me aleje muy a prisa de este demonio de la campiña, donde hay alacranes; pues de ellos he sentido la herida dentro del corazón.

Y juro por el Dios santo que no vestiré manto ni me dejaré barba, ni mantendré razón de amor, ni de armas, porque de ellas nace el quebranto y el llanto en toda ocasión; sino que me haré de un bergantín e iré por la marina vendiendo aceite y harina; y huiré del veneno del alacrán, pues no conozco otra medicina.

Ni tampoco me siento pagado de lanzar al tablado, así Dios me ampare, ni de bafordar (juego de armas); y andar de noche armado lo hago con desagrado y el andar de ronda; pues me pago más del mar que de ser caballero; porque ya fui marinero y me quiero hoy guardar más del alacrán, y a lo que fui primero tornar.

Y os diré un recado: el Demonio nunca me puede engañar para hacerme cantar las armas, pues no me agrada (me es inútil encomiarlas, pues ya no las he de usar); antes quiero ir solo e ir como mercader a buscar alguna tierra, donde no me pueda atacar alacrán negro ni vario.

48*

—Ũa pregunta vos quero fazer,
senhor, que mi devedes a dizer:
por que veestes jantares comer,
que ome nunca de vosso logar
comeu? [E] esto que pode seer, 5
ca vej' ende os erdeiros queixar?

— Pa[a]i Gómez, quero-vos responder,
por vos fazer a verdade saber:
ouv' aqui reis de maior poder
[en] conquerer e en terras gaanhar, 10
mais non quen ouvesse maior prazer
de comer, quando lhi dan bon jantar.

— Senhor, por esto non digu' eu de non,
de ben jantardes, ca é gran razon;
mai-los erdeiros foro de Leon 15
querran vosco, por que an pavor
d' aver sobr' elo convosco entençon
e xe lhis parar outr' ano peior.

— Pa[a]i Gómez, assi Deus mi pardon,
mui gran temp' á que non foi en Carrion 20

---

* [*CBN* 1624, *CV* 1150]. Cuatro estrofas doblas: a10 a10 a10 b10 a10 b10. (Tavani, *Rep.*, 18, 45, 114, 26.) Tensón.

nen mi deron meu jantar en Monçon;
e por esto non sõo pecador
de comer ben, pois mi o dan [i] en don,
ca de mui bon jantar ei gran sabor.

Paai Gómez Charinho e Rei D. Afonso.

Bibliografía

R. Lapa, *CEM*, 303; Cotarelo, XXVII; Michaëlis, *Randgl.*, III, 149; Machado, 1528; A. Juárez, *Cuad. Est. Med.*, XII-XIII (1984), 109-118.

Vocabulario

1. «afazer» (R. Lapa) fue sustituido por «a solver» por Michaëlis. A. Juárez propone «a dizer», con el sentido de 'responder'.
3. «vieste» (R. Lapa), «veeste» (Michaëlis); «veneste» (A. Juárez).
4. «vosso logar», 'de vuestra condición'. Recuérdese que 'logar' se identificaba con ascendencia («logares tan preciados». Berceo).
6. «Erdeiros», 'herederos', que disfruta de una heredad o explotación familiar exenta de toda carga económica y jurídica señorial.
12. «jantar». En las Cortes de Valladolid, año 1258, se dictaminaba que el Rey y su mujer comiesen (o pudiesen comer) por valor de 150 maravedís cada día, sin contar los huéspedes extraños que pudieran acompañarles. En cuanto a los hombres de su corte, se recomienda al Rey que les aconseje mesura y que no consuman tanto como suelen. El yantar diario de los reyes se estimaba, vulgarmente, en cincuenta vacas, valoradas cada una de ellas en tres maravedís.
15. «foro de Leon / querran vosco», 'os requerirán el Fuero de León'. Alude aquí el autor de la tensón a la exención establecida por el Fuero de León para cier-

tos habitantes y ciudades en cuanto a la contribución al yantar regio.

17. «entençon», 'contienda'.

Comentario

Payo Gómez Chariño, personaje de rango, de origen gallego, alrededor del cual se han tejido numerosas leyendas, como la de que fue el primero que embistió contra el puente de barcas que defendía a Sevilla y el primero que asaltó sus muros, mantuvo, por sus cargos administrativos y su parentesco, relaciones con los reyes Fernando III, Alfonso X y Sancho IV, llegando a ser, en tiempos del último, Almirante de Castilla (1284-1286).

Se discute sobre la realidad de la tensón, si la sostuvo o no con Alfonso X, o más bien sería una tensón fingida que él compondría. En estos momentos denunciaría el pago del yantar —equivalente al valor de 50 vacas— y que se convirtió por ley de las Cortes de Palencia (1286) en tributo económico, que los reyes intentaron cobrar aun en aquellos lugares que estaban exentos, como en el caso aludido por la tensón, por el fuero más antiguo de León.

Versión

Una pregunta os quiero hacer, señor, que me debéis responder; ¿por qué vinisteis a exigir yantar allí donde ninguno de vuestro linaje comió? Y esto os lo pregunto porque veo que los herederos se quejan.

Payo Gómez, os quiero responder, para haceros conocer la verdad: hubo aquí reyes de mayor poder en conquistar y en ganar tierras, pero no que tuviesen mayor placer en comer, cuando le ofrecen buen yantar.

Señor, no os digo que no os agrade el buen yantar, pues tenéis motivo; pero los herederos os querrán aplicar al Fuero de León, porque tienen miedo de sostener contienda con Vos y de que les suceda otro año peor.

Payo Gómez, así Dios me perdone, hace mucho tiempo que no estuve en Carrión ni me dieron mi yantar en Monzón; por eso no soy pecador (culpable) de comer bien, pues me lo dan como don, pues tengo mucho deseo de un gran yantar.

Payo Gómez Chariño y el Rey D. Alfonso.

49*

Poys que m' ey ora d'alongar
de mha senhor, que quero bem
e que me faz perder o ssem,
quando m' ouver d'ela quitar,
direy, quando me lh' espedir: 5
de bom grado queria hir
logo e nunca [mais] viir.

Poys me tal coyta faz soffrer
qual sempr' eu por ella soffry,
des aquel dia que a vy, 10
e non sse quer de min doer,
atanto lhy direy por en,
moyr'eu e moyro por alguen
e nunca vos direy mais [q]en.

E já eu nunca veerey 15
prazer com estes olhos meus,
de[s] quando a non vir, par Deus,
e con coita que averey,
chorando lhy direy assy:
moyr' eu por que non vej' aqui 20
a dona que por meu mal [vi]

---

* *[CBN* 469; *Molteni* 361]. Cantiga de maestría de tres coblas singulares: a8 b8 b8 a8 c8 c8 c8 (Tavani, *Rep.* 18, 36; 164, 1). Cantiga de amor. Capdenals. Rimas derivativas: «sofrer», «sofri»; homófonas: «veerey», «averey».

Bibliografía

Nunes, *Amor*, XXVI, Machado, 421; Alvar-Beltrán, págs. 188-189.

Vocabulario

4. «quitar», 'separar', 'apartarse'.
7. «viir», 'venir'.

Comentario

Canta el dolor que supuso amar y la falta de compasión de la amada. Es la hora de alejarse de ella y la confiesa que muere por la dueña que le causó tanto dolor.

Los tópicos de «perder o ssem», «faz sofrer», «non sse quer de min doer», «a dona que por meu mal vi» se repiten en todos los trovadores y pueden también rastrearse en la cantiga de Santa María, núm. 22, donde se canta el amor divino de María frente al amor humano, causante de todos estos males.

Versión

Pues me he de alejar de mi señora, a la que quiero bien y me hace perder el sentido, al separarme de ella diré, en la despedida: «de buen grado querría irme y nunca más volver».

Pues tal pesar me hizo sufrir como yo siempre por ella sufrí, desde el día en que la conocí, y no quiere compadecerse de mí, le diré por tanto; «muero por alguien y nunca os diré por quién».

Y ya nunca veré placer con estos mis ojos, desde que no la vea, por Dios, con pena le diré llorando: «muero porque no veo aquí a la dama que por mi mal vi».

50*

Ben ssabia eu, ma senhor,
que poys m'eu de vós partisse,
que nunca veeria sabor
de rem, poys vós eu non visse;
porque vós ssodes a melhor 5
dona de que nunc(a) oysse
hom falar.
Ca a vosso *bô* ssemelhar
sey que par
nunca lh'omen pod'achar. 10

E, poys que o Deus assy quis,
que eu ssô(o) tam alongado
de vós, muy bem seede ffis
que nunca eu ssen cuydado
en vivirey, ca já Paris 15
d'amor non foy tam coitado
nen Tristam

7, «hom», en Nunes, «homen»; 8, «bô», en Nunes «bõ(o)»; 15, «en», en Nunes «eu»; 24, en Nunes «aquel' é meu e non vosso», lectura que no tiene justificación en códice *CBN*, 468; 25, «rem», en Nunes «sem».

* *[CBN* 468; Molteni 360]. Cantiga de amor de maestría. Tres coblas singulares: a8 b7 a8 b7 a8 b7 c3 c8 c3 c7. Encabalgamiento sintáctico (Tavani, *Rep.* 18, 5; 70, 1).

nunca soffreron tal affam,
(e) nen am
quantos som, nen seeram. 20

Que ffarey eu, poys que non vir
o muy bon parecer vosso?
ca o mal que nos foy ferir
aquele x'est'o vosso,
e por ende per *rem* partir 25
de vos muyt'amar non posso
nen farey;
ante ben sey ca morrerey,
se non ey
vós que sempre y amey.

Bibliografía

Nunes, *Amor,* XXV; Machado, 411; Oliveira-Machado, pág. 26.

Vocabulario

8. «o vosso bôn ssemelhar», semejante a «bon parecer vosso» (v. 22). Concepto que se encuentra también en *CSM* 10.
12. «que eu sôo tam alongado», 'que estoy tan alejado' (lejanía física).
15. «Paris», hijo de Príamo y Hécuba, famoso por el rapto de Helena. Murió en la guerra de Troya, provocada por el propio rapto.
17. «Tristam», enviado por su tío, el rey Marc, para trasladar a Isolda la bella al reino de Armórica, bebe un filtro amoroso y queda enamorado de ella. Durante el resto de su vida luchará entre la lealtad a su rey y el amor a Isolda. Al final huye, pero regresa en numerosas ocasiones sirviéndose de diversas estratagemas para ver a su amada. Una de las versiones de la leyenda lo da como loco al final de sus días.

23. Nunes: «e por ende per sem partir», corrijo: «e por ende per rem partir». El orden lógico de la frase es: «por ende (non posso) per vem partir de vos, d'amarvos muito» «por lo que (no puedo) en absoluto separarme de vos, de amaros mucho».

Comentario

Típica canción de amor. La lejanía física impone una ausencia que no es significativa de que no la ama. El amante se compara a Paris y a Tristán, dos amantes que, alejados de sus amadas, no por eso las dejaron de amar. La lejanía que golpea a la amada, se convierte en el principal mal del amado, pues ésta no le impide amarla; «antes bien sé que moriré, sino os tengo a Vos a quien tanto amé».

El morir de amor se hará presente a partir de la trovadoresca decadente convirtiéndose en un tópico insistente, machacón e insincero, pero aquí es la lógica consecuencia de las premisas de la primera cobla («a razon»), de la que se deduce todo el resto. La obligada ausencia deja al amante sin sabor por nada, pues su amada es la mejor que hombre alguno puede hallar.

Elegante métrica de pie quebrado, cuya 'frons' está separada de la cauda por medio de un verso corto que rima con los tres últimos.

Versión

Bien sabía, señora mía, que después de separarme de Vos, nunca obtendría placer ninguno, pues no os vería; porque Vos sois la dama mejor de la que hombre alguno haya podido oír hablar, pues nadie encontrará otro igual y a vuestro semblante.

Y, pues Dios lo quiso así, que esté tan alejado de Vos, estad cierto que no dejaré de estar sin pena, pues ni Paris sufrió tanto de amor, ni Tristán; y nunca sufrirán tanto anhelo, ni cuantos existen, o existirán.

¿Qué haré pues no veo aparecer vuestro bello semblante?: el mal que nos golpeó es el vuestro, y por tanto no puedo separarme en absoluto de vos, de amaros mucho, ni lo haré; antes bien sé que moriré, si no os tengo a Vos a quien tanto amé.

51*

Par Deus, senhor,
enquant' eu ffor
de vós tam alongado,
nunc(a) en mayor
coyta d'amor, 5
nen atam coytado
foy eno mundo
por sa senhor
homen que fosse nado,
penado, penado

Se[n] nulha ren, 10
sen vosso ben,
que tant' ey desejado
que já o ssem
perdi por em,
e viv' atormentado; 15
ssem vosso bem.
de morrer en
ced' é muy guisado,
penado, penado.

---

* *[CBN* 470; *Molteni* 162]. Tres coblas singulares más refrán (el verso 7.º no rima con ninguno; ¿palavra perduda?): a4 a4 b6 a4 a4 b6 N4 a4 b6 B5. [Tavani, *Rep.* 18, 31, 29, 1; lo califica *amor* (discor?)]. Palabra rima: «fosse nado» estr. I y III.

Ca, log' aly
hy vos eu vy, 20
fuy d'amor afficado
tam muyt' en mi
que non dormi,
nen ouve gasalhado;
e, sse m' este mal 25
durar assy,
eu nunca fosse nado,
penado, penado.

Bibliografía

Machado, 421; Nunes, *Amor*, XXVI; Lang, *The Descort*, pr. 499; Oliveira-Machado, pág. 28.

Comentario

«Coytado», «atormentado», «non ouve gasalhado» son tres expresiones que marcan una gradación de sentimientos, propios de composiciones de este género que intentan transmitir el desasosiego interior a través de los contenidos y de las formas.

El 'discordo' se caracteriza por versos de distinta medida y rima, que en este caso incluye una «palavra perduda» (o verso suelto), que incide aun más en esa singular manera de expresar los sentimientos del «cuitado de amor». El propósito de la composición se ve logrado aun más con la repetición del «refrán»: «penado, penado».

Versión

Juro por Dios, señora, que desde que estoy tan alejado de vos, nunca hubo nadie en mayor cuita de amor, ni tan apenado por su amada existió hombre alguno: apenado, apenado.

Sin ninguna duda, sin vuestro bien, que tanto he deseado,

perdí el sentido y vivo atormentado sin él; sin vos me parece que moriré pronto y de inmediato: apenado, apenado.

Pues, luego allí, donde os vi, quedé tan enamorado que me dormí, ni tuve alegría; y si este mal ha de durar tanto, ¡ojalá no hubiese nacido!; apenado, apenado.

Apéndices

I. Versiones castellanas medievales adicionadas al Códice Rico de El Escorial [Tj1] en tiempos de Sancho IV

VIII

Esta estoria es de como en Rocamador ante la imagen de Santa María, estando un juglar, que dezian Pedro de Sigar, cantando en una vihuela de arco cantigas de Santa María. E poniendo su devoçion en los cantares, que con contriçion que començo a llorar de sus ojos e a dezir: «Señora, sy a vos plaze destos mis cantares, dandos' una candela a que estemos». E mientra el esto asy dezia non çesava todavia de tañer sus cantigas e loores qu'el dezie, e do el estava asy en este pensamiento con la otra compaña de la eglesia, que ý velava aparezçiol' ençima de la cabeça de la vihuela que estava ý puesta una candela. E un monje tesorero de la eglesia que ý estava fue a travar de la candela, e tomola e pusola en el candelero que estava ante el altar. E el juglar, taniendo su vihuela e deziendo sus cantigas, la candela como de cabo, posose en la vihuela segunt de ante, e el monje yradamente tomola commo de cabo pusola en el candelero. E atola con una cuerda e dixo contra el juglar: «Sy bien cantades non enatreres desto, ca por sabedor vos aure sy la candela fazierdes yr otra vez». El juglar por non enbargar sus cantigas, e veyendo que plazie dellas a Santa Maria, nol' quiso rresponder; e el monje taniendo ojo a la candela, vido commo de cabo que non lo aprovechando el atadura qu'el a la candela avía puesto da... que el a ella fazie que la candela por sy... y... ega a ella otra cosa que se lo asento en la vihuela; e el monje, non parando mientes en commo esto era miraglo de Santa Maria, veno con de cabo a querer trauvar de la candela, e las gentes que ý estavan e que avian visto esta maravilla dixieronle: «Frayle, o pecador, do tienes tu entendimiento en querer contrallar la voluntad de Santa Maria esto non te lo sofriremos, que mas plaze a Santa Maria que la candela que la tenga el su juglar que non que la tomes tu». E el monje, parando mientes que l'dezian verdat, conosçio el su error, e reviendose por muy pecados, echose de preças [a]l juglar e pediole perdon; e de ally adelante, rreconosçiendo el juglar el miraglo de la candela que Santa Maria la diera, non se trabajava en otro serviçio synon en el de Santa Maria. E trayole de cada año en tal dia un çirio ant'ella, e por esto miraglo fizo el rrey don Alfonso la cantiga suso dicha:

Todos loar devemos con alegria
quantos su bien atendemos de Santa María.

X

Esta estoria es de como la muy santa, e muy alta, e muy noble, mucho onrrada, e mas bien aventurada que otra criatura Virgen gloriosa sabia Ssanta Maria, rreyna del cielo e de la tierra es nuestra Señora e nuestra Abogada e medianera entre Dios e nós fue, e es, e siempre sera conplida de fermosura e de beldat, e de sçiençia, e de piadat, e misericordia (?) e todas las otras virtudes e bienes aver, e al... ar, e que es rrosa de las rrosas e flor de las flores, e dueña de las dueñas, e señora de las señoras; e que es rrosa de beldat e de parescer e flor de alegria e de plazer; e dueña muy piadosa en nos toller nuestras cuytas e nuestros dolores; e que es a tal señora que devemos mucho amar porque de todo mal nos puede guardar, e nuestros pecados no faz perdonar, que nos fazemos por malos sabores; e que la devemos sienpre servir porque puña de nos guarir, e de los yerros nos faz rrepentir que nós fazemos como pecadores. E que devemos sienpre trabajar por todavia su amor ganar, ca es valiosa e muy celestial, e non valen nada los otros amores.

E dize en esta estoria que por quanto el buen rrey don Alfonso el Sabio, seyendo en grandes peligros, le saco a su onrra todavia d'ellos que por non perder él su amor e alcanzar della tanta merçed que se apartava a la loar en cantigas e en loores por se quitar del diablo e de sus tenptaçiones que en cobdicia de las almas (?) costunbra tentar a los grandes señores por lo que esta señora le gane perdón del su glorioso fijo e lo lleve a la santa gloria de parayso. Y nós seamos dignos de yr al su serviçio...

XX

Esta estoria es fecha a cantiga e loor de Santa Maria, ennobleçiendo e loando a las virtudes e noblezas della, e de commo el muy noble rrey don Alfonso con devoçion de la servir fazia su oraçion a esta Señora; e a la Verga de Iesé onde ella venia en que está estoriado commo Santa Maria rruega noche e dia al su Fijo por nós; e commo lidia por nós e vençe a los diablos, e commo faze por nos muchos miraglos, sanando los enfermos e rreçuçitando los muertos; e commo nos castiga que seamos sienpre buenos; e commo abaxa los soberviosos e ensalça los omildosos; e commo con quantos loores le podriamos dezir non egualariemos a dezir quantas vertudes e bienes á en esta bienaventurada Virgen. Ella sea loada e bendita por sienpre jamás.

por todavía su amor ganar [illegible] estima- men valen más los otros amores [illegible]

Dize en esta estoria que por quanto el buen rey don [illegible] [illegible] seyendo en grandes peligros, le sacó a [illegible] [illegible] dellos que por non perder el su amor [illegible] [illegible] merced [illegible] la [illegible] [illegible] del diablo [illegible] [illegible] a los grandes [illegible] res por lo que esta señora le gane perdón [illegible] su gloria [illegible] [illegible] gloria de paraíso [illegible] siglos [illegible]

XX

Esta [illegible] estoria [illegible] de santa María [illegible] [illegible] della [illegible] el [illegible] noble rey don [illegible] devoción [illegible] [illegible] oración [illegible] Virgen [illegible] santa María [illegible] [illegible] los [illegible] [illegible] los [illegible] [illegible] que [illegible] [illegible] [illegible] [illegible] sea [illegible] [illegible]

II. Indicaciones métricas y retóricas

Principales combinaciones de rimas

(Seguimos: «La Métrica», Alfonso X, el Sabio, *Cantigas de Santa María,* edición de Walter Mettmann, Madrid, Clásicos Castalia, 1986; para otras indicaciones métricas, véase el propio texto.)

aaabab, (1)
aa N, (25, 32, 42.)
AA/ bbba. (3, 9, 11, 12, 13, 21, 22, 28, 30, 34)
AA/bcbc, (10)
AA/ nbnbna, (17)
AAAA / bbbbaaaa, (16)
AABAAB/ cdcdddcddb, (4)
AABNB/ ncncccbab, (6)
AAAB/ cccb, (14)
AB / cccb. (19, 26)
ABAB/ aAaAabab, (8)
AB / aAaAab, (20)
AAB /aAaAb, (33)
ABAB / cccbcb, (5)
ABAB/ncncncnb, (2)
ANA/ bbba, (7)
ANA/ bbbba, (18)
ABAB / cdcddb, (15)
NANA /nbnbnbna, (23, 27, 29, 31, 25.)
NANA / bcbcnana, (24)
ABAB /cddcccbccb, (36)

Monorrima, (37, 39)
ABAB / bcccbbcccbbdda, (38)

Cantigas profanas

(Seguimos a Tavani: *Repertotio metrico.)*
aaba /B, 40.
aabba, 44.
aaab/ AB, 45.
aaabab, 43 (con refram), 48.
aaaBaB,46.
abbccd, 41.
aabbaabbccbbc, 47
abbaccc, 49.
abababcccc, 50
Canción descort.

Géneros líricos representados

Virelai (o zéjel): La mayoría de las CSM.
Canción: núms. 1, 3, 30, 37.
Cantiga autóctona: núms. 25, 32, 42. (aa / N)
Rondel: núms. 8, 20, 33.
Lai: núm. 36.
Balada: núm. 10.
Romance: núm. 39 (Monorrimo más refrán).
Danza: núms. 13(?), 38.
Virelai (seguidilla ?): núm. 15 (ABAB / cdcddb.)

Géneros definidos por su contenido

Cantigas en loor de Santa María: núms. 1 al 39.
Cantigas de amor: núms. 49, 50.
Cantigas de escarnio: núms. 40, 41, 43, 46.
Maldecir: núms. 44, 45.
Tensón: núm. 48.
Debate: núm. 34.
Maya: núm. 39.
Canción descort: núm. 51.

QUEEN MARY
COLLEGE
LIBRARY